GÉREZ MIEUX
STRESSEZ MOINS

Devenez un gestionnaire heureux et compétent

1 GESTIONNAIRE, UN MÉTIER À DÉCOUVRIR

Éditions BLACKBURN TÉTREAULT
13, rue de l'Alcazar, Blainville
Québec, Canada J7B 1R3

450-971-4931
1-877-971-4931
editions@blackburntetreault.com

Diffusion et commandes :
www.blackburntetreault.com, section Nos publications

ISBN : 978-2-9810795-3-4

Dépôt légal 2011 :
Bibliothèque nationale du Québec
· Bibliothèque nationale du Canada
Tous droits réservés

Imprimé au Canada
Cet ouvrage n'a bénéficié d'aucune subvention pour son édition.

DES MÊMES AUTEURS

- Le livre : La gestion pratique des ressources humaines, *4ᵉ édition*.

REMERCIEMENTS

Les gens ont souvent plus d'influence sur notre vie qu'ils ne peuvent l'imaginer.

Nous tenons à remercier sincèrement les gens qui ont su nous témoigner leur confiance et leur amitié, tout au long de notre carrière et de notre vie.

Ce superbe projet n'aurait jamais pu voir le jour et, surtout, aboutir à ce qu'il est aujourd'hui, sans l'apport et les encouragements de ceux et celles que nous avons côtoyés professionnellement et personnellement :

- Nos parents, les membres de nos familles et nos fidèles amis;
- La direction, nos collègues enseignants et nos étudiants de l'École de technologie supérieure de Montréal;
- Les clients et collaborateurs de notre cabinet-conseil et de notre projet de collection de livres;
- Tous les gestionnaires formés et coachés dans nos interventions conseil aux cours des années et;
- La direction et l'équipe de plusieurs associations d'employeurs au Québec.

À Audrey et Pénélope, nos filles adorées – à qui nous souhaitons une vie remplie de bonheur, de santé et de prospérité – pour leur appui et leur soutien.

TABLE DES MATIÈRES

CHAPITRE 2
L'ÉVOLUTION DU MÉTIER DE GESTIONNAIRE   45

CHAPITRE 3
LES DÉFIS DU GESTIONNAIRE
D'AUJOURD'HUI   71

CHAPITRE 4
LES QUATRE VÉRITÉS DU GESTIONNAIRE   83

INTRODUCTION

Vous venez d'avoir une promotion ? Votre supérieur immédiat vous confie de nouvelles responsabilités ? Vous devenez vous-même chef d'entreprise ? Vous êtes nommé(e) chef de rayon ? C'est vous qui êtes désormais responsable de l'entrepôt de l'entreprise pour laquelle vous travaillez depuis 10 ans ? Vous décidez de partir à votre compte ? Vous exercez déjà ces fonctions et vous souhaitez diminuer votre stress et augmenter le plaisir que vous tirez de votre travail ?

Toutes ces situations et bien d'autres font de vous un *gestionnaire*[1-2].

En effet, pas besoin d'assumer des responsabilités énormes dans une organisation pour être qualifié de gestionnaire : il suffit d'avoir à gérer des ressources humaines ou matérielles et de devoir en rendre compte.

---

[1] Dans cet ouvrage, le terme gestionnaire équivaut aux termes suivants : chef d'équipe, contremaître, superviseur, directeur, coordonnateur, surintendant, directeur général, vice-président, président.

[2] Définition de gestionnaire : Toute personne dans une organisation ayant ou non des personnes (employé(s) ou gestionnaire(s)) à superviser qui a la responsabilité d'un service ou d'un département allant même à l'ensemble de l'organisation.

N'ayons pas peur des mots ; le terme gestionnaire effraie. Certains frissonnent lorsqu'ils l'entendent, car pour eux, les images qu'il évoque laissent envisager les pires scénarios. Hélas, dans bien des cas, cette vision des choses reflète une certaine réalité.

Mais en est-il toujours ainsi ? Peut-on envisager le rôle de gestionnaire sous un autre angle ? Nous pensons que oui. Grâce à ce livre, nous sommes confiants de vous en persuader. Forts d'une longue expérience de terrain, nous avons pu, au fil des années, prendre position et développer, avec nos clients et nos collaborateurs, une école de pensée qui nous amène, aujourd'hui, à affirmer qu'il est possible d'être un gestionnaire heureux et compétent. Fruit d'une réelle collaboration, notre approche se fonde sur la réalité du « terrain » et s'appuie sur l'expérience de ceux et celles qui la vivent au quotidien.

C'est de la volonté de partager les points de vue de cette école de pensée qu'est née l'idée de publier une collection de livres[3] accessibles autant aux gestionnaires déjà en poste depuis longtemps qu'à ceux nouvellement promus, peu importe le niveau hiérarchique, ainsi qu'à toute personne s'intéressant à cette fonction : la collection **GÉREZ MIEUX, STRESSEZ MOINS**, dont vous tenez le premier livre entre les mains. L'objectif est à la

---

[3] Pour plus d'informations, se référer au site Internet **www.blackburntetreault.com**, section : Nos publications.

fois simple et ambitieux: définir le rôle du gestionnaire au sein d'une organisation et fournir les outils adéquats pour exercer ce rôle avec plaisir et compétence.

Pourquoi une telle publication dans un contexte où les ouvrages sur la gestion ne manquent pas? Il est vrai que le marché abonde de livres de ce type, mais ceux-ci sont avant tout le produit de spécialistes qui les destinent à des gestionnaires de haut niveau ou qui y démontrent des théories complexes à propos de la gestion. Ce qui distingue notre projet et en fait un produit unique est qu'il ne vient pas s'ajouter à ces ouvrages, mais vise plutôt à combler un manque. Nous voulons vraiment rejoindre des gestionnaires de première ligne, ceux et celles qui sont sur le terrain au quotidien et qui ont à prendre en charge une équipe. Le plus souvent, ces gens sont parachutés à des postes pour lesquels ils n'ont aucune formation. Or, dans le contexte économique contemporain, aucune organisation – privée ou publique – ne peut se permettre une telle improvisation. À moyen terme, une telle situation ne peut qu'avoir des retombées négatives: gestionnaires épuisés, personnel démotivé, rendement minimum.

Nous proposons donc une série faite pour ce type de gestionnaires. Elle deviendra, nous l'espérons, une référence de choix dans le domaine de la formation et du développement des gestionnaires dans les organisations. Chacun des livres apportera, de façon concrète et dans un style adapté aux gens qui n'ont pas la lecture comme priorité et les théories complexes de la gestion comme intérêt, les outils qui leur permettront de devenir des gestionnaires heureux et compétents dans leurs fonctions. De plus, chacun des livres de la collection pourra être abordé comme un ouvrage autonome, bien que l'ensemble visera la complémentarité des uns aux autres.

Au fil des années de notre pratique professionnelle en tant que coachs et formateurs pour des gestionnaires de différents niveaux, nous en sommes arrivés à la conviction qu'un tel outil est essentiel. Une large consultation auprès de nos clients (propriétaires d'entreprises, directeurs, gestionnaires de premier niveau, etc.) et d'étudiants en gestion n'a fait que renforcer notre motivation à mener ce projet à terme.

Si cette proposition vous attire, si vous éprouvez des doutes quant à votre rôle de gestionnaire ou si, tout simplement, vous aimeriez savoir ce que nous avons à dire sur le sujet, n'hésitez plus. Le premier livre de la collection est entre vos mains. Nous espérons qu'il vous donnera le goût d'aller plus loin dans votre démarche professionnelle et d'approfondir vos questionnements à l'aide des autres volumes de cette collection.

CHAPITRE 1

GESTIONNAIRE : UN RÔLE ESSENTIEL

La situation actuelle

On ne naît pas gestionnaire, on le devient

Qu'est-ce qu'un bon gestionnaire ?

Les préalables à la réussite

La situation actuelle

Ce qu'on ne peut plus ignorer

Une évidence s'impose : le contexte économique mondial ainsi que les enjeux complexes exerçant une influence sur le fonctionnement des organisations, qu'elles soient du secteur privé ou du secteur public, soulignent plus que jamais l'urgence de réfléchir à la place et au rôle des gestionnaires.

Dans un avenir proche, toutes les organisations devront faire face à de grands défis de gestion.

L'évolution des exigences de ce métier est évidente depuis quelques décennies. Que ce soit dans les pays industrialisés ou dans les pays émergents[4], une question se pose à l'ensemble des organisations : le type de gestion mis en place répond-il de façon adéquate

---

[4] Selon les critères établis par la Banque mondiale, un pays est qualifié d'émergent si son PNB (Produit national brut) par habitant est inférieur à la moyenne mondiale, mais qu'il connaît néanmoins une croissance économique rapide le rapprochant d'une structure économique et d'un niveau de vie semblable à celui des pays industrialisés.

aux changements et bouleversements nés, entre autres facteurs, du phénomène de mondialisation ?

Il ne fait aucun doute que dans un avenir proche, toutes les organisations devront faire face à de grands défis de gestion. Les signes annonciateurs se font déjà sentir. Les crises économiques successives, dont celle de 2009-2010, ont bouleversé les économies à l'échelle de la planète en laissant des séquelles dont les effets se répercuteront pendant plusieurs années. La compétition de plus en plus féroce née de la libéralisation des marchés impose aux organisations des critères de performance et d'efficacité de plus en plus élevés. À cela viennent s'ajouter de nouvelles contraintes qui sont autant d'exigences supplémentaires pour les gestionnaires. Qu'il s'agisse des normes et des lois régissant les différents secteurs du travail ou des critères liés aux préoccupations environnementales et à la qualité de vie, aucune organisation ne peut désormais les ignorer.

Ces modifications du monde du travail ne sont pas les seuls facteurs à prendre en considération. D'autres phénomènes tout aussi importants apparaissent. Ainsi, selon l'ONU[5], l'Amérique du Nord, l'Europe et certains pays émergents d'Asie et d'Amérique du Sud devront bientôt faire face à une nouvelle réalité : le

---

[5] Organisation des Nations unies.

vieillissement des populations et la baisse du taux de natalité. Les conséquences de ces deux phénomènes sont énormes. Dans les prochaines années, un nombre important de travailleurs arrivés à l'âge de la retraite quitteront le marché de l'emploi. Le problème qui se pose est le suivant : les jeunes travailleurs ne seront pas assez nombreux pour combler ces départs.

Savoir faire face

Face à de tels défis, les organisations n'ont d'autre choix que d'affronter les problèmes posés. Cela suppose un questionnement inévitable quant aux rôles et aux responsabilités des gestionnaires. Si pendant des décennies ce métier pouvait tenir, dans bien des cas, de l'improvisation, le constat actuel impose une toute autre approche de la fonction. Les solutions d'une autre époque s'appuyant sur ce type de commentaire : *Ça a fonctionné de mon temps, il n'y a pas de raison pour que cela ne fonctionne pas aujourd'hui !* ne sont plus un gage de succès pour l'avenir. Ce serait même le contraire. Une telle attitude a plus de chance de mener à l'échec qu'à la réussite.

Au fil de nos années de pratique professionnelle, nous avons été à même de constater qu'un grand nombre d'organisations affichent souvent un taux de productivité et d'efficacité peu reluisant. La raison d'un tel constat ? Dans tous les cas, nous avons mis en évidence la faiblesse, voire l'absence, d'un véritable cadre de gestion. Toute organisation se doit d'élaborer un cadre de gestion afin de définir sa mission et de déterminer ses stratégies au moyen d'un modèle organisationnel. Celui-ci précise les standards visés en termes de productivité (performance et efficacité), de qualité, de relation entre les membres du personnel et de santé et sécurité au travail. Un cadre de travail mettant en place les normes, les règles, les méthodes et les procédures de travail ainsi que les conditions de l'application des standards vient compléter le cadre de gestion. C'est la cohérence entre ces deux cadres qui permet une saine gestion. Son absence au sein d'une organisation se détecte facilement : personnel laissé à lui-même avec peu ou pas de supervision et gestionnaires débordés de tâches opérationnelles mettant un frein à leur capacité de gérer adéquatement.

Le contexte actuel exige des organisations d'évoluer et de s'adapter à de nouvelles façons de faire. Leur survie ne se fera qu'à ce prix. Pour cela, il faut poser un nouveau regard sur le métier de gestionnaire, un rôle essentiel trop souvent ignoré. Les dirigeants des organisations se doivent d'accorder une plus grande attention aux gestionnaires, quel que soit leur échelon, et de déléguer en toute confiance. Ceux-ci doivent se questionner sur la place accordée aux gestionnaires au sein de l'organisation et leur donner des outils adé-quats pour qu'ils exercent efficacement les respon-sabilités relevant de leur fonction.

On ne naît pas gestionnaire, on le devient

Les outils de la compétence

Pour certaines personnes, le métier de gestionnaire en est un à risque où on s'épuise et pour lequel il y a peu de gratification réelle. Dans bien des cas, hélas, cette perception fait écho à une réalité. Combien d'entre eux se retrouvent, au bout de quelques années, épui-sés et insatisfaits ? Il est pourtant possible d'envisager les choses sous un autre angle : celui du plaisir de remplir son rôle de gestionnaire avec un sentiment de réussite. Cela suppose une approche fondée sur des exigences de compétence. Il existe certes de nombreuses théo-ries sur la gestion et de multiples points de vue d'experts en la matière, mais il n'y a aucune école qui puisse pré-parer les gestionnaires de façon pertinente et réaliste

> *Celui du plaisir de remplir son rôle de gestionnaire avec un sentiment de réussite.*

aux défis quotidiens qui se posent en milieu de travail. C'est pourtant à ce niveau que se bâtissent les premiers succès d'une organisation.

Voilà pourquoi, forts de notre expérience de terrain, nous avons décidé de mettre en œuvre le projet **GÉREZ MIEUX, STRESSEZ MOINS.** Son objectif? Donner à toute personne qui le souhaite les outils qui conduisent à une saine gestion, puis guider ceux et celles qui se retrouvent aux prises avec le lot de difficultés et de problèmes que pose l'absence de réelles compétences de gestion. Dans cette démarche pour améliorer ou développer des qualités de gestionnaire, il n'y a pas de recettes miracles. On ne naît pas gestionnaire, on le devient. Cela ne signifie pas pour autant qu'on le devient du jour au lendemain. «Qui veut aller loin ménage sa monture», souligne le proverbe. Nous le croyons et c'est exactement ce que nous vous proposons au fil de chacun des volumes de cette collection. Chacun d'eux se présente comme une étape supplémentaire sur le chemin de l'apprentissage des règles de saine gestion. La maîtrise d'un art exige toujours un travail patient.

Pourquoi pas une petite histoire révélatrice ?

On raconte souvent, dans les milieux concernés, cette petite histoire très éducative sur le sujet[6].

Chacun, N'importe qui, Personne, Quelqu'un et Tout-le-Monde sont les employés d'une petite organisation. Un jour, leur supérieur immédiat leur assigne une tâche importante à réaliser.

Sur le champ, Tout-le-Monde est persuadé que Quelqu'un va s'en charger. N'importe qui peut le faire, mais Personne ne juge nécessaire de s'en charger. Quelqu'un pique alors une colère car, selon lui, c'est la tâche de Tout-le-Monde.

Chacun est d'avis que N'importe qui aurait pu s'en charger. Personne réalise que Tout-le-Monde ne bougera pas le petit doigt.

Finalement, Chacun blâme Quelqu'un et Personne n'accomplit la tâche que N'importe qui aurait pu réaliser.

---

[6] Nous n'avons pu, à ce jour, définir qui est l'auteur de cette histoire. Si quelqu'un peut, d'une façon ou d'une autre, prouver qu'il ou elle en est bien l'auteur, nous sommes prêts à en spécifier le crédit.

Bref, voilà un exemple type d'absence de cadre de gestion. On se retrouve dans la situation d'un orchestre sans chef ou d'un bateau de croisière prenant le large sans capitaine à son bord. Les musiciens connaissent la musique, les marins ont l'habitude de la mer et du bateau. Cela veut-il dire pour autant que le concert sera réussi ? Il y a fort à parier que si cela se produit, ce sera après de longues négociations entre les musiciens. Et puis, qui embarquerait sur un bateau de croisière en sachant que le capitaine n'est pas à bord ? Personne, à moins d'être du genre à avoir envie de jouer au capitaine au risque d'y laisser sa peau et celles des autres. Pourtant, cela ne remet pas en cause la compétence des musiciens, ni celle des marins.

Dans tout groupe engagé vers un but commun, il faut un guide motivant et convaincant. Il en va de même pour toute organisation. Sans supervision adéquate, les employés laissés à eux-mêmes ne seront probablement pas capables d'atteindre le niveau de rendement souhaité. La présence d'un bon gestionnaire est l'une des clés de l'épanouissement des compétences des employés.

Qu'est-ce qu'un bon gestionnaire?

Les premières choses à faire

Le gestionnaire n'est surtout pas un improvisateur. Il est étonnant de constater que, encore aujourd'hui, des organisations parachutent un employé à la tête d'une équipe, sous le couvert d'une promotion, sans même lui donner la moindre formation. Avez-vous déjà essayé de monter, sans mode d'emploi, un meuble en pièces détachées? C'est à peu près ce que l'on impose à ceux et celles qui se retrouvent promus gestionnaires du jour au lendemain.

Devenir gestionnaire, de nos jours, c'est maîtriser une multitude de compétences centrées sur des techniques de supervision, des stratégies de communication et des structures de travail. Être gestionnaire est un métier et non un ensemble de tâches. Mais comment exercer pleinement ce métier quand, le plus souvent, ce qu'on demande au gestionnaire l'éloigne de son métier?

Premier objectif: se débarrasser des irritants!

Lors de nos interventions dans différentes organisations, un point commun s'est imposé: le gestionnaire passe une grande partie de son temps à faire autre chose que son travail de gestion et de supervision. Trois irritants majeurs sont à bannir:

31

▪ Les rapports inutiles

Nous avons constaté à de multiples reprises que la plupart des gestionnaires à qui on demande de remplir des rapports ne savent même pas quelle sera leur utilité.

Ajoutons à cela que, le plus souvent, il n'y a aucun commentaire en retour de la part du supérieur immédiat ou des dirigeants à qui sont destinés ces rapports.

Bilan de l'opération : du temps perdu qui aurait pu être investi de façon beaucoup plus efficace avec le personnel. Et le sentiment de perdre du temps précieux pour celui ou celle qui a rempli le rapport en question.

▪ Les réunions interminables

Qui ne s'est jamais plaint de ces réunions interminables, non structurées ? Combien de ces réunions auraient pu être écourtées et, surtout, plus efficaces si elles avaient été planifiées et dans certains cas, tout simplement évitées ?

▪ L'indigestion de courriels

Le flot de courriels qui mobilise une grande partie du temps des gestionnaires n'est pas nécessairement synonyme d'efficacité. La plupart de ces messages ne sont d'aucune utilité dans le cadre d'une gestion efficace. (C'est sans compter que, dans bien des cas, un premier courriel est rapidement suivi d'un second contredisant le premier.) La communication par courriel peut être un outil très efficace ou un poison dans l'organisation du temps. Tout dépend de l'usage qui en est fait.

Face à de telles situations, il est impératif que le gestionnaire apprenne à optimiser ses ressources et son temps. En clair, cela signifie *éliminer, simplifier* et *déléguer,* si nécessaire. Il faut savoir fermer son ordinateur, ou le mettre en veille, afin de pouvoir sortir du bureau et assurer une supervision adéquate des employés.

Deuxième objectif : investir dans les outils d'un mieux-être professionnel

Il n'est pas rare que des organisations engloutissent des sommes astronomiques dans l'implantation de nouveaux systèmes informatiques ou d'équipements à la fine pointe de la technologie dans l'espoir d'améliorer le rendement des employés. Sans nécessairement remettre en cause la pertinence de telles décisions, il n'en demeure pas moins que ce n'est pas l'outil qui modifie

> *C'est au gestionnaire que revient la tâche de donner des consignes claires et de motiver son personnel.*

l'attitude des employés, mais bien une supervision appropriée. C'est au gestionnaire que revient la tâche de donner des consignes claires et de motiver son personnel.

Il est essentiel de ne pas perdre de vue qu'au cours des prochaines années, l'arrivée de nouveaux travailleurs peu expérimentés aura un impact réel sur la performance et l'efficacité des organisations. Cette réalité doit être prise en compte afin de s'assurer que les gestionnaires qui auront la charge de ces employés soient adéquatement formés et outillés. C'est maintenant que les organisations doivent se positionner face à ce problème. Il s'agit là d'une condition essentielle à l'amélioration des taux de productivité et à l'instauration d'une saine atmosphère de travail. Reconnaître *le rôle essentiel des gestionnaires* au sein d'une organisation, c'est en assurer la bonne santé économique.

Principes de base

Sur quoi s'appuie le mieux-être professionnel des gestionnaires ? La première réponse se base sur quatre principes fondamentaux en gestion :

- La planification
- L'organisation
- La direction
- Le contrôle

On identifie généralement ces principes sous la forme abrégée « **PODC** ».

À ces quatre principes viennent s'ajouter les trois éléments de la compétence[7] :

- Le savoir, ou l'ensemble des connaissances techniques liées à un métier ;
- Le savoir-faire, ou la mise en pratique efficace de ces connaissances ;
- Le savoir-être, ou le comportement et la personnalité mis en évidence dans le milieu professionnel.

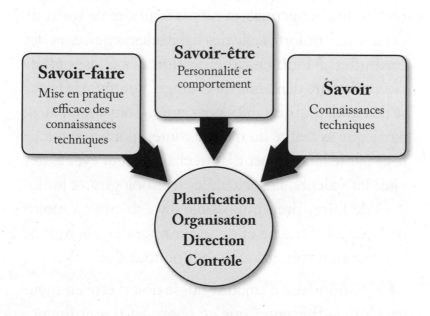

---

[7] **Compétence :** mise en œuvre des connaissances et aptitudes permettant la maîtrise d'un domaine donné.

La maîtrise de ces quatre principes de gestion et de ces trois éléments de la compétence est à la base de l'efficacité et du rendement d'un gestionnaire.

Un autre aspect demeure fondamental. Cette fois, il ne s'agit pas de principes, mais bien d'engagement personnel dans l'acquisition et le développement des compétences nécessaires à la gestion. S'engager sur cette voie, que l'on soit un débutant ou un gestionnaire en fonction, c'est accepter les risques et les exigences du changement et ne pas craindre de sortir de sa zone de confort; celle des habitudes acquises et des certitudes. Modifier sa perception des choses et ses façons de faire demande du courage. Pourquoi le faire? se demanderont certaines personnes. Tout simplement parce que la réalité du monde contemporain se manifeste par le changement. Tout change, tout évolue très vite: les valeurs, la société, les technologies et les façons de faire. Bref, impossible d'y échapper à moins de jouer à l'autruche et de se confiner dans la routine pour ne rien voir, jusqu'au jour où tout s'écroule.

> *Tout change, tout évolue très vite.*

Le gestionnaire d'aujourd'hui se doit d'être en mouvement et d'accepter que ce choix ait une influence sur sa propre vie. «Quel rapport y a-t-il entre mon travail et ma vie ? », se demanderont bien des gens. La réponse est pourtant simple : lorsque nous acceptons les traits de notre personnalité, assumant autant nos défauts que nos qualités, notre attitude a inévitablement un impact sur nos proches, que ce soit dans la vie privée ou au travail. En ce sens, être un gestionnaire est certes un métier, mais c'est également un choix de vie. C'est aussi développer une vision de votre travail et réaliser que l'atteinte de vos objectifs ne dépend pas uniquement de vous. Ces hommes et ces femmes, jeunes ou moins jeunes, ne sont pas uniquement des employés. Ils ont, eux aussi, une histoire personnelle.

> *Être un gestionnaire est certes un métier, mais c'est également un choix de vie.*

Troisième objectif : accepter de mettre en œuvre une autre façon de faire

Il ne faut jamais perdre de vue que le rendement d'un employé dépend en grande partie de la relation établie avec son supérieur immédiat. La motivation du personnel n'est pas uniquement du ressort de l'employé lui-même, tout comme la compétence n'est pas le seul facteur qui mène à la performance et à l'efficacité.

L'élément clé de ces deux critères demeure la motivation, autant celle du gestionnaire que celle de ses employés. Il revient au gestionnaire d'inculquer le goût du dépassement et de transmettre la volonté de faire le meilleur travail possible de la façon la plus efficace.

Ce n'est pas en restant confiné dans son bureau, devant son ordinateur, qu'il y parviendra. L'entraîneur sportif est actif sur le terrain avec ses joueurs. Il sait les observer, leur faire les remarques qui s'imposent, souligner les efforts et les réussites. Il travaille à développer l'esprit d'équipe ou le souci du dépassement, facteurs de réussite. Un gestionnaire efficace agit de la même façon. Son rôle est crucial. Il doit être le chef d'orchestre, un meneur, un guide, avoir une influence positive et motiver son équipe. Ce qu'il ne faut jamais perdre de vue, c'est qu'à ce titre, vous dépendez d'individus qui peuvent ou ne peuvent pas, veulent ou ne veulent pas satisfaire aux exigences de rendement.

Il est toujours possible, pour un gestionnaire, de se cacher derrière des jugements du type :

- « Mes employés sont paresseux. »
- « Mes employés ne comprennent jamais rien. »
- « Il faut que mes employés apprennent à devenir autonomes. »

- « Au salaire que je donne à mes employés, je m'attendais à un meilleur niveau de rendement ! »
- « Je ne vais quand même pas prendre mes employés par la main. Si en plus il faut que je passe mon temps à les motiver ! »
- « S'il n'est pas content, qu'il s'en aille. »

Ces propos ne changeront en rien la situation problématique. Ils ne peuvent que paralyser la capacité de réagir et d'agir afin d'améliorer les choses. Un gestionnaire ne doit pas perdre de vue qu'il est en grande partie responsable des résultats obtenus par ses employés. Les erreurs commises ne relèvent pas nécessairement de la seule responsabilité des employés.

Que l'on soit un gestionnaire de peu d'expérience ou un professionnel en la matière, une règle s'impose désormais dans l'exercice du métier : être attentif au personnel dont on a la charge. Pourquoi ? Pour garder les meilleurs employés au sein de l'organisation, mais également pour permettre à l'ensemble du personnel de se sentir valorisé et de travailler dans une atmosphère de performance et d'efficacité. Un employé qui se sent valorisé ou qui obtient de la reconnaissance dans son travail développe un sentiment de confiance et d'appartenance envers l'organisation qui l'emploie.

Voilà pourquoi, de nos jours, il est important que les gestionnaires sachent prendre en compte un certain nombre de facteurs importants : accommodement des horaires du personnel, charge de travail, avantages sociaux, qualité de l'environnement de travail. Autant d'éléments qui doivent, bien évidemment, se faire dans le cadre des contraintes de l'organisation.

Quatrième objectif : être un gestionnaire conscient de son rôle au sein de l'organisation

Aujourd'hui, les directions d'organisations ne peuvent pas faire l'économie d'une prise de conscience nécessaire en se posant les questions suivantes :

- Quelle importance accordons-nous aux gestionnaires et à leur rôle ?
- Quelles tâches accomplissent-ils dans le cadre de leur travail ?
- Posent-ils les bons gestes ? Ont-ils la bonne attitude ?

De la même façon, chaque gestionnaire se doit de réfléchir à son rôle :

- Mes priorités sont-elles à la bonne place ?
- Est-ce que j'utilise mon personnel de manière adéquate ?
- Jusqu'à quel point, suis-je tolérant ?

- Ma présence au sein de mon équipe est-elle suffisante ?

En tant que gestionnaire, vous devez savoir quels gestes poser afin d'aider vos employés à améliorer leur rendement. Nous ne sommes plus à l'époque où on «disciplinait» les employés. Aujourd'hui, on encourage, on soutient en proposant les outils adéquats. Mais, si l'un d'eux n'y parvient pas en dépit de vos interventions, il vous faut être prêt à prendre une décision qui pourrait aller jusqu'au congédiement. Ne pas pouvoir ou ne pas vouloir le faire, c'est nuire au climat de travail.

Afin d'agir en ce sens, il est important d'avoir l'appui de son supérieur immédiat. La direction de votre organisation doit être consciente de la pertinence des gestes que vous posez, afin que vous puissiez exercer votre rôle au meilleur de vos capacités et de votre volonté.

Les préalables à la réussite

Il existe parfois un écart important entre le profil du poste de gestionnaire (description de tâches/mandat) et le profil du gestionnaire (personnalité). C'est ce qui peut poser un problème dans bien des cas. Il est important de clarifier les rôles et les responsabilités du gestionnaire au sein d'une organisation. Cette démarche permet d'éviter bien des confusions, des oublis ou des dédoublements de tâches.

Le bon gestionnaire à la bonne place

Un des facteurs importants de la réussite s'appuie sur la nécessité de faire en sorte que le style du gestionnaire engagé cadre avec celui de l'organisation. Ne pas en tenir compte, c'est mettre en place des risques d'incompréhension et de tensions. Si le travail du gestionnaire est jugé «mal fait» par les dirigeants d'une organisation, est-ce à cause de l'incompétence du gestionnaire? Rien n'est moins certain. L'organisation est imputable de la structure organisationnelle qu'elle met en place. Il est donc important que soit défini et présenté aux gestionnaires le cadre de gestion précisant les facteurs d'un bon fonctionnement:

> *Non seulement les gestionnaires sont nécessaires, mais ils sont une des clés essentielles de la réussite de l'organisation.*

- La mission de l'organisation
- La vision et le plan de développement de l'organisation
- Les valeurs de l'organisation
- L'organigramme et la répartition des rôles et des tâches de l'ensemble du personnel
- L'ensemble des règles définissant le cadre de travail[8]

---

[8] **Cadre de travail:** voir chapitre 1, page 26.

Certains courants de pensée en gestion laissent croire que les gestionnaires ne sont plus d'aucune utilité au sein d'une organisation. Notre expérience nous amène à penser le contraire. C'est pourquoi nous démontrerons tout au long de cet ouvrage l'importance de leur rôle. Non seulement les gestionnaires sont nécessaires, mais ils sont une des clés essentielles à la réussite de l'organisation.

Ne pas avoir peur de voir les choses autrement. Savoir s'engager à devenir le chef d'orchestre d'une équipe. Acquérir les outils pour atteindre cet objectif. Voilà les premiers pas sur le chemin d'un gestionnaire, les premières conditions du succès d'une organisation.

CHAPITRE 2

L'ÉVOLUTION DU MÉTIER DE GESTIONNAIRE

Où en sommes-nous ?

Principaux facteurs de changement

Où en sommes-nous?

L e type de gestion et le rôle joué par les gestionnaires ont beaucoup évolué au fil des années. Il est utile de s'attarder aux manifestations de cette évolution, afin de mieux comprendre les enjeux du défi actuel qui se pose aux gestionnaires. Saisir en quoi certains facteurs propres à une époque donnée influencent le rôle des gestionnaires est un des outils de compétence à maîtriser.

On peut identifier deux tendances caractérisant la supervision du personnel. La première, la plus ancienne, n'a pratiquement plus cours aujourd'hui. Héritée des débuts de l'industrialisation, elle a surtout été mise en pratique jusqu'au début des années 1980. Elle se fondait uniquement sur les résultats attendus. Depuis, dans le courant des grands changements de société, une autre approche de la supervision de personnel s'est développée. On prend désormais en considération l'aspect humain et la nécessaire qualité des relations entre les membres d'une organisation.

L'évolution au fil des décennies

Le tableau de la page suivante présente, de façon sommaire, trois grandes périodes de la perception et du rôle du gestionnaire.

Les périodes retenues correspondent aux époques charnières des changements dans notre société. Il s'agit, bien évidemment, d'une généralisation des courants de pensée de chacune de ces périodes.

Il y a toujours eu, et il y aura toujours, des individus et des organisations ne cadrant pas dans ces critères.

Bien entendu, dans ce qui est amené ici, il y a toujours des nuances à apporter. Les choses ne sont jamais ni noires ni blanches. Il y a toujours des zones grises. Ce que reflète ce tableau, ce sont les grandes lignes des courants de pensée.

	1960-1990	1990-2010	2010...
Approche du gestionnaire	Basée sur l'autorité	Basée sur l'influence	Basée sur l'éducation
Types de gestionnaire	Essentiel-lement des hommes d'âge mûr	Arrivée de femmes et de jeunes	Très grande diversité des types
Temps de supervision[9]	20 min./jour	3 à 4 h/jour	4 à 6 h/jour
Cadre de gestion	Standards de performance et d'efficacité peu élevés	Standards de performance et d'efficacité élevés	Standards de performance et d'efficacité très élevés
Environnement social[10]	Très rigide et uniforme	Rigide et uniforme	Peu rigide et peu uniforme

[9] Il s'applique à des groupes de 15 à 20 employés.

[10] On entend par environnement social l'influence des valeurs tant familiales que scolaires au sein d'une société donnée.

Les années 1960-1990

Pendant ces trois décennies, devenir gestionnaire consistait essentiellement à développer beaucoup de savoir technique, mais peu de savoir-faire (organisation du travail) et de savoir-être (personnalité). Interagir de manière adéquate avec les employés, composante nécessaire à la supervision du personnel, ne faisait nullement partie des priorités et ne figurait pas dans les définitions de tâches. Le plus souvent, le gestionnaire abordait son métier sans préparation particulière et l'apprenait sur le tas.

> *Le gestionnaire abordait son métier sans préparation particulière et l'apprenait sur le tas.*

Un gestionnaire ayant en charge une vingtaine d'employés passait, en moyenne, 20 minutes par jour à superviser son équipe. Le reste du temps était consacré à exécuter des tâches opérationnelles. En d'autres termes, il « se salissait les mains » en accomplissant ce que ses employés auraient dû faire.

Dans la grande majorité des cas, ces gestionnaires étaient des hommes d'âge mûr. Même si à cette époque l'arrivée des femmes sur le marché du travail était en hausse, cela ne leur donnait pas pour autant accès à des postes de direction, de gestion ou de supervision. Il faudra attendre les années 1990 pour que ce mouvement s'amorce et s'implante.

Cette époque était celle du rapport d'autorité. Un patron[11] se trouvait alors tout à fait dans son droit d'ordonner, d'intimider et de menacer ses employés en toute impunité ou presque. Un employé qui ne «faisait pas l'affaire» pouvait se retrouver à la rue du jour au lendemain sans autre forme de procès que la seule décision du gestionnaire. Une telle culture d'entreprise était alors monnaie courante. La plupart des gestionnaires ayant peu ou pas de qualifications appropriées au savoir-faire et au savoir-être, l'autorité, quasi militaire dans certains cas, servait à compenser cette lacune.

Une telle situation faisait en sorte que les employés étaient soumis à un cadre de gestion imposé sans avoir la moindre possibilité d'émettre une opinion à ce sujet. D'autre part, les standards de performance et d'efficacité, ainsi que le niveau de rendement attendu des employés, étaient beaucoup moins exigeants qu'aujourd'hui. Il faut dire qu'une autre réalité économique prévalait à cette époque : la concurrence était beaucoup moins féroce et le bassin de main-d'œuvre disponible plus vaste. On

---

[11] Ce terme, datant d'une autre époque, caractérisait une responsabilité de contrôle centralisée et assumée par un seul gestionnaire : le patron.

pouvait alors supporter un certain laxisme au niveau de l'efficacité opérationnelle de l'entreprise sans pour autant que cela affecte la marge de profit ou le niveau de service attendu.

Un autre facteur important marque le style de gestion de cette époque : l'environnement social et les valeurs qui s'y rattachent. Qu'il s'agisse de la famille, de l'école ou des organisations, la rigueur et l'autorité marquaient les relations entre les individus. À titre d'exemple, il suffit de regarder les exigences du code vestimentaire de cette période. Une seule image s'imposait lorsqu'on franchissait le seuil d'un bureau administratif : costume cravate pour les hommes et tailleur pour les femmes. Inutile, à cette époque, de devoir préciser, dans un manuel de l'employé, certaines directives quant à la tenue vestimentaire. La question ne se posait même pas. Ce qui était valorisé par l'ensemble de la société devenait la norme pour tout le monde.

> *La décennie 1980-1990 a été une période de transition particulièrement marquante.*

Il est intéressant de relever que la décennie 1980-1990 a été une période de transition particulièrement marquante. Frappée par une récession à l'échelle mondiale, l'économie s'est retrouvée au cœur d'une tempête nécessitant d'inévitables changements du monde du travail, tant de la part des organisations que des marchés. Ces bouleversements sociaux et économiques sont un facteur du mouvement qui contribua à faire évoluer de façon notoire le rôle du gestionnaire.

Les années 1990-2010

Durant cette période, la manière de gérer passe de l'autoritarisme à une approche beaucoup plus soucieuse de l'employé. Le gestionnaire n'impose plus ses idées. Son objectif vise davantage à obtenir la confiance de ses employés afin de leur faire accepter le cadre de gestion établi par l'organisation. On constate également que certaines organisations ne craignent plus de nommer des femmes et des jeunes à des postes de gestionnaires.

> *On attend des gestionnaires qu'ils maîtrisent un degré de connaissances plus élevé.*

Alors que, dans la période précédente, le gestionnaire était souvent nommé en fonction de ses années de présence au sein de l'organisation, ce sont désormais d'autres facteurs de choix qui prédominent en général. On attend des gestionnaires qu'ils maîtrisent un degré de connaissances plus élevé. De plus en plus, nombre d'entre eux suivent certains cours de spécialisation dans le domaine de la gestion et de la supervision avant d'être nommés en poste. Les exigences requises obligent à posséder davantage de compétences au niveau du savoir-faire (organisation du travail) et du savoir-être (relation avec les employés), tout autant que du savoir technique.

Une autre caractéristique de cette période tient au fait que les standards de performance et d'efficacité au sein des organisations deviennent beaucoup plus élevés. Les gestionnaires ne peuvent plus se contenter d'un certain laxisme dans l'application du cadre de gestion. D'autant moins qu'il leur faut maintenant tenir compte des caractéristiques reliées à différents contextes : éthique, technologique, légal, social, économique et politique. C'est ce qui explique, en grande partie, qu'un gestionnaire compétent devra passer de trois à quatre heures par jour à superviser son équipe.

2010 et les années à venir

De toute évidence, le défi qui attend les gestionnaires pour les années à venir en est un de taille. Plus qu'à aucune autre époque, les facteurs sociaux et les valeurs véhiculées auront un impact certain sur la façon de travailler des gestionnaires. De nouvelles réalités doivent dès maintenant être prises en compte. Les organisations ne peuvent plus imposer leurs valeurs aux employés. Désormais, elles doivent prendre en considération les besoins collectifs et individuels de leur personnel, tout en tenant compte des contraintes de l'organisation.

> *Les organisations ne peuvent plus imposer leurs valeurs aux employés.*

À cela vient s'ajouter l'obligation de faire face, parfois, à des comportements et à des perceptions très éloignés de la rigueur nécessaire au sein d'une organisation. Plus que jamais auparavant, on constate un écart important entre les exigences d'un cadre de travail nécessaire au sein d'une organisation et une certaine forme de laxisme ancrée tant dans les valeurs familiales que dans les principes d'éducation.

Toute une génération d'employés arrive sur le marché du travail avec davantage de besoins à combler que ceux des générations précédentes.

Aucune organisation ne peut se permettre de fermer les yeux sur cet aspect. Particulièrement en ces périodes d'instabilité économique qui font en sorte que les marges de profits des organisations privées et les budgets des gouvernements n'auront jamais été aussi précaires et fluctuants.

> *Comment réussir à concilier cette réalité et celle de cette nouvelle génération d'employés ?*

La nécessité pour les organisations d'atteindre des standards de performance et d'efficacité opérationnelle très élevés oblige à la mise en œuvre de cadres de gestion rigoureux. Comment réussir à concilier cette réalité et celle de cette nouvelle génération d'employés ?

Un simple exemple de ce type de situation montre bien la nature du problème.

Robert doit gérer une équipe de travailleurs de la construction. Au cours d'une tournée d'inspection, il constate que l'un de ses employés, un jeune adulte engagé depuis peu, travaille sur un échafaudage sans son harnais de sécurité. Lorsqu'il en fait la remarque à son employé, celui-ci réplique que c'est impossible de travailler avec le harnais, car il est trop serré et l'empêche de se déplacer facilement. À aucun moment, cet employé ne se pose la question de savoir pourquoi il en est ainsi. Pourtant, l'évidence s'impose aux yeux de Robert : lorsque tu portes un pantalon dont le fond tombe à mi-cuisse, le harnais devient en effet gênant. Le défi de Robert sera de faire accepter à son employé que la sécurité au travail l'emporte sur des considérations vestimentaires.

Ce n'est là qu'un exemple parmi d'autres. Il souligne qu'il est préférable de nos jours d'établir des codes vestimentaires selon des paramètres propres à l'organisation sans pour autant revenir à l'homogénéité monochrome des années soixante.

Désormais, il est important pour les gestionnaires de connaître et de mettre en commun les valeurs divergentes au sein d'une équipe afin de les rendre compatibles avec celles de l'organisation. Ne pas s'attarder à cet objectif, c'est prendre le risque de voir s'installer un climat de désorganisation et d'anarchie. C'est une tâche énorme, mais essentielle. Le succès d'une organisation en dépend en grande partie.

Principaux facteurs de changement

Dans notre perspective, nous identifions cinq raisons majeures qui ont bouleversé le rôle du gestionnaire de façon significative au cours de cette période :

- Précarité des budgets et de la rentabilité des organisations.

- Marché du travail défavorable aux organisations.

- Lois et règlements régissant le travail.

- Exigences de qualité de vie des nouvelles générations de travailleurs.

- Arrivée sur le marché du travail de travailleurs issus de diverses communautés ethniques.

Précarité des budgets et de la rentabilité des organisations

En règle générale, on peut affirmer sans risque de se tromper que les marges de profits dégagées par les organisations du secteur privé se sont toujours avérées acceptables jusqu'au début du nouveau millénaire. Une erreur commise en raison d'une mauvaise gestion avait peu d'impact. Ce n'est plus le cas dans le contexte actuel.

L'une des conséquences majeures de la mondialisation des marchés se manifeste par la réduction des marges de profit. Cette réalité s'est particulièrement aggravée lorsque les pays industrialisés ont été confrontés, en 2008 et 2009, à une crise économique mondiale dont les effets se font encore ressentir aujourd'hui. Aucune organisation privée ou publique ne peut faire fi de cette constatation et toutes doivent désormais faire face à l'exigence d'une gestion saine et rigoureuse.

Nous avons pu en mesurer personnellement les conséquences avec ce constat d'un imprimeur ayant fait appel à nos services. À l'ère de l'informatique, le nombre de clients faisant affaire par Internet pour les travaux d'impression mineurs est en augmentation constante. Face à cet état de choses, l'imprimeur n'a d'autre choix que d'offrir les prix les plus bas possible. Dans ce contexte, il ne peut y avoir de place pour la moindre erreur. Un lot de cartes d'affaires mal imprimées ou contenant une coquille ne rapporte absolument rien lorsqu'il est facturé au plus bas coût. Obligé de refaire le travail afin de satisfaire son client, l'imprimeur non seulement ne fait aucun profit, mais cette seconde impression est à perte puisque sa marge de profit est déjà réduite au minimum avant même d'entreprendre le travail.

On pourrait multiplier les exemples de ce type. Ce qu'il faut en retenir se résume à ce principe fondamental : assurer la gestion avec la plus grande rigueur.

Marché du travail défavorable aux organisations

Avant même la récente crise économique qui a frappé les pays industrialisés, recruter un ouvrier spécialisé, une réceptionniste qualifiée ou un employé expérimenté n'était pas évident. Aujourd'hui, alors que le déficit démographique affecte sérieusement le marché de l'emploi, le phénomène est encore plus accentué.

> *Le déficit démographique affecte sérieusement le marché de l'emploi.*

On sait fort bien qu'en période de récession des usines et des entreprises déposent le bilan et mettent à pied des centaines, voire des milliers de travailleurs dans certains secteurs. Cela, en principe, devrait libérer de la main-d'œuvre qualifiée sur le marché du travail. Or, aussi surprenant que cela puisse paraître, ce n'est pas le cas. Certes, une partie de ces travailleurs peuvent espérer retrouver de l'emploi, particulièrement parmi les plus jeunes, mais pour ceux et celles qui ont dépassé la soixantaine, il s'agit bien souvent d'un accès à la retraite, qu'il soit volontaire ou imposé par les circonstances.

Cette situation fait en sorte que l'indice de remplacement, c'est-à-dire le rapport existant entre le nombre de travailleurs se retrouvant à la retraite et celui du nombre de jeunes aptes à entrer sur le marché du travail, est en constante diminution. Ce manque de main-d'œuvre qualifiée, capable de répondre aux besoins des organisations, affecte sérieusement leur capacité de croissance et suppose la mise en place de nouveaux modèles de gestion. C'est une réalité incontournable à laquelle les employeurs sont de plus en plus souvent confrontés et le seront de façon encore plus problématique dans un avenir proche. Quel que soit le secteur d'activité, ce recrutement représente un défi majeur.

Nous avons pu le constater, entre autres avec l'un de nos clients, un spécialiste de l'offre de service de personnel de la santé. Lors de la pandémie du virus de la grippe A (H1N1), à l'automne 2009, nombre de cliniques de vaccination firent appel à ses services. Or, l'ensemble des ressources disponibles étant déjà sollicitées, il lui fut impossible de répondre à la demande.

L'aspect le plus frustrant pour le gestionnaire de cette entreprise a été de n'avoir pas pu répondre à une demande réelle du marché par manque de personnel qualifié.

Il n'en demeure pas moins qu'une exigence incombe aux gestionnaires : savoir être attentif au personnel déjà en place et à ses besoins. Quant aux organisations, elles devront s'assurer d'être attrayantes aux yeux de chercheurs d'emplois de plus en plus sélectifs et exigeants.

Lois et règlements régissant le travail

Contrairement à la plupart des pays émergents[12], les organisations des pays industrialisés, syndiquées ou non, doivent désormais composer avec les lois et les règlements régissant le travail. Au fil des décennies de l'industrialisation, et cela dans un souci constant d'améliorer le sort des travailleurs, une multitude de lois ont été adoptées et mises en place. Celles-ci ont ouvert la porte, par la suite, à une foule de règlements, de décrets et de codes professionnels propres à chaque pays. À un point tel qu'il est devenu parfois difficile de s'y retrouver et de savoir sur quelle base s'appuyer pour faire face à un problème.

Cette exigence de respect des lois et des règlements rend la tâche du gestionnaire beaucoup plus complexe. Alors qu'auparavant le principe d'autorité hiérarchique suffisait pour mettre un employé à la porte de l'organisation, un gestionnaire doit désormais prendre en considération nombre de facteurs. S'agit-il d'une mise à pied ou d'un congédiement? Les motifs invoqués sont-ils justifiables? Ne pas le faire pourrait entraîner des poursuites de la part de l'employé ou de son syndicat, s'il y a lieu.

[12] Voir note 4 chapitre 1, page 23.

Il ne s'agit pas ici de faire le procès de cet état de choses, mais de souligner l'exigence pour le gestionnaire de connaître et d'appliquer les lois qui régissent son secteur. À défaut de cette connaissance, il doit pouvoir être en mesure d'aller chercher l'information nécessaire, afin de ne pas commettre d'erreurs coûteuses.

Exigences de qualité de vie des nouvelles générations de travailleurs

Remarque intéressante et caractéristique d'une certaine mentalité: un gestionnaire exaspéré par un de ses employés lui réplique: «Si ton travail nuit à tes loisirs, quitte ton travail!» On peut, a priori, être surpris de cette réaction. Elle est pourtant le reflet d'un changement d'état d'esprit de toute une génération de travailleurs.

On rêvait de la société des loisirs, au siècle dernier.

L'époque où les employés ne ménageaient ni le temps ni l'effort pour l'organisation au sein de laquelle ils travaillaient est bel et bien révolue. Impossible de nos jours d'envisager le monde du travail sans prendre en compte les valeurs qui marquent nos sociétés. En l'espace de quelques décennies, nous sommes passés d'une société dont les valeurs fondamentales se fondaient sur le sens du collectif à une société valorisant l'individualisme.

On rêvait de la société des loisirs, au siècle dernier. Tous les progrès de l'industrialisation visaient ce but: libérer l'individu de certaines contraintes, afin qu'il dispose de plus de temps pour se distraire. Dans le même temps, on a vu émerger et se développer une prise de conscience de certaines conséquences du progrès sur notre environnement, qu'il soit humain ou géographique: la pollution et le stress. À cela sont venues s'ajouter les revendications nées des mouvements de révolte des années soixante-dix: liberté de choisir et d'agir, rejet de l'autorité morale des institutions, libéralisation des mœurs. Autant de facteurs qui ont participé au changement des mentalités. Aujourd'hui, le mot d'ordre de nos sociétés est à la qualité de vie individuelle.

> *Aujourd'hui, le mot d'ordre de nos sociétés est à la qualité de vie individuelle.*

Tout cela n'est pas sans conséquences réelles sur le monde du travail. Il n'est pas rare de le constater au sein d'organisations dont les employés appartiennent à plusieurs générations. Dans ce contexte, il devient parfois exigeant, voire impossible, pour des gestionnaires d'assurer un équilibre au sein d'une équipe de travail.

Les exemples ne manquent pas pour souligner ce phénomène. L'un d'eux nous semble particulièrement significatif. Il a pour décor un bureau canadien de comptables agréés pour lequel nous avons travaillé à titre de consultants. Une cinquantaine de professionnels formaient l'équipe, dont un groupe d'employés dans la jeune trentaine. Pour ce bureau, le mois de mars est un moment charnière de l'année puisqu'il faut produire, pour les clients, les déclarations de revenus gouvernementales. Il n'est pas rare, lors de cette période, que les comptables doivent travailler pendant la fin de semaine afin de respecter les échéanciers. Or, pour certains des jeunes comptables de ce bureau, cette perspective nuisait à leur projet de ski de printemps. Ils étaient prêts à travailler jour et nuit, si nécessaire, tous les jours de la semaine, mais pas question pour eux de sacrifier leurs fins de semaine avec leur famille et leurs amis. Le malaise créé par cette attitude fut réel. Ni les collègues les plus âgés ni les associés du cabinet ne savaient comment réagir. Il n'était pas question de se passer des employés concernés. Par ailleurs, ne pas leur donner satisfaction, c'était prendre le risque de les voir aller travailler ailleurs. Finalement, l'organisation n'a eu d'autre choix que de se plier, en partie, aux exigences demandées en acceptant que les employés qui le demandaient ne travaillent qu'une semaine sur deux alors que les autres assuraient toutes les fins de semaine. Certes, le problème a été réglé au mieux des possibilités. Il n'en demeure pas moins qu'une telle situation n'est guère propice à l'établissement d'un climat de travail serein au sein d'une équipe.

Ces changements de comportement ne se manifestent pas toujours de façon aussi radicale. Ils peuvent prendre des formes a priori anodines, mais pourtant tout aussi dérangeantes. Cela peut aller de la fermeture de la porte du magasin cinq minutes avant l'heure requise au refus de faire des heures supplémentaires en passant par un manque de ponctualité chronique.

L'un des exemples les plus étonnants qu'il nous ait été donné de constater vaut la peine d'être souligné afin de mieux saisir l'ampleur du phénomène. Un dirigeant d'une petite entreprise organisa un sondage afin d'évaluer le niveau de satisfaction de ses employés par rapport à leur travail. Ce qui en ressortit, ce fut une frustration clairement manifestée sous prétexte que le nombre d'horodateurs insuffisant obligeait les employés à devoir faire la queue trop longtemps avant de pouvoir partir.

Aussi surprenants que puissent paraître ces faits, ils n'en demeurent pas moins caractéristiques de la mentalité d'une nouvelle génération sur le marché du travail. Aucune organisation ne peut ignorer cette réalité. Elle oblige les gestionnaires à développer de nouvelles façons de faire et d'organiser.

Arrivée de travailleurs issus de diverses communautés ethniques

De plus en plus, les organisations embauchent des travailleurs issus de différentes communautés ethniques. Cette nouvelle réalité, issue des grands mouvements de population vers les pays les plus riches, confronte nos sociétés à une grande diversité de valeurs et de pratiques. Aucun gestionnaire ne peut, de nos jours, faire fi de cette constatation qui soulève la question des différences culturelles et de la façon dont on peut les gérer.

> *Comment conciler les exigences fondées sur notre culture avec celles d'une autre culture ?*

Comment réussir à tenir compte de toutes ces différences sans être au courant des valeurs et des pratiques culturelles de l'autre ? Comment concilier les exigences fondées sur notre culture avec celles d'une autre culture ? Voilà ce qu'est le défi des gestionnaires dans ce contexte d'interculturalisme; un défi de taille qui oblige à une façon de faire différente et qui demande, en plus d'une grande ouverture d'esprit, une formation axée sur la compréhension de ces différences culturelles.

Pour en souligner la nécessité, voici quelques exemples de situations auxquelles vous avez peut-être été déjà confrontés. Certaines entreprises manufacturières exigent de leurs employés, pour des raisons de sécurité, de ne porter ni cravate ni foulard qui pourraient se coincer dans une pièce d'équipement. Comment réagir lorsqu'une femme voilée postule à un poste imposant cette exigence? Comment se comporter lorsqu'une femme, chef d'atelier, doit donner des ordres à des hommes qui, pour des raisons culturelles, ne peuvent accepter d'être dirigés par une femme?

Lors de l'une de nos interventions auprès du service des ressources humaines d'une organisation employant des travailleurs immigrants, nous avons dû faire face à la situation suivante. L'une des femmes nous confia qu'elle avait été victime de harcèlement sexuel de la part de son contremaître. Après avoir consulté les dossiers de ces deux personnes, rien ne nous permettait d'en arriver à une conclusion en faveur de l'une ou l'autre. C'est sur le terrain que nous avons pu nous faire une idée claire de la situation.

Cette dame travaillait comme fileuse dans un environnement bruyant nécessitant le port de bouchons protecteurs dans les oreilles. De plus, elle devait effectuer une partie de sa tâche les bras tendus vers le haut. Son contremaître, un homme d'expérience d'une soixantaine d'années, ayant à lui communiquer une information n'eut d'autre choix, à cause du bruit et du fait qu'elle lui tournait le dos, de la toucher à la base du poignet afin d'attirer son attention.

Ce contremaître ignorait que les convictions religieuses de cette dame ne permettaient pas que quiconque touche cette partie du corps considérée comme privée et intime. En posant ce geste, selon les valeurs de cette dame, cet homme venait d'accomplir un acte interdit et répréhensible.

Dans cet exemple, ni l'un ni l'autre n'étaient conscients des contraintes qu'imposait cette cohabitation interculturelle. Il a donc été nécessaire de leur faire comprendre l'ambiguïté d'une telle situation et la nécessité pour eux d'en tenir compte afin d'éviter de tels malentendus. Le contremaître devait tirer les leçons de cet événement afin d'éviter qu'il se reproduise.

Il est évident que cette problématique particulière et relativement récente demeure très délicate à gérer. C'est pourquoi, dans le cas où le service des ressources humaines d'une organisation ne dispose pas des outils adéquats pour y faire face, il devient nécessaire de faire appel à des intervenants sensibilisés à ces questions d'ordre interculturel.

La rapidité des changements survenus au sein de notre société à l'aube de ce nouveau millénaire, tant du point de vue des valeurs que du mode de vie, a obligé les organisations à s'adapter à de nouvelles façons de faire et de nouvelles façons d'être.

Aucun gestionnaire, en poste ou en devenir, ne peut ignorer désormais les facteurs de changement que nous venons d'énumérer. Ils ne sont certes pas les seuls, mais il demeure essentiel de les prendre en considération.

CHAPITRE 3

LES DÉFIS DU GESTIONNAIRE D'AUJOURD'HUI

Un constat à faire

Ce qu'on attend du gestionnaire

Un constat à faire

Comme nous venons de le voir, le métier de gestionnaire a considérablement évolué au fil des dernières décennies. Il n'y a plus de place pour l'improvisation dans l'exercice de cette fonction.

Même si la maîtrise des compétences techniques demeure encore très pertinente, on ne lui accorde plus la même importance qu'auparavant. Nous ne le redirons jamais assez: le savoir-faire (organisation du travail) et le savoir-être (relation avec les employés) sont désormais une des clés essentielles d'une saine gestion. Être gestionnaire de nos jours implique, entre autres choses, la maîtrise de techniques de communication, une

> *Le savoir-faire (organisation du travail) et le savoir-être (relation avec les employés) sont désormais une des clés essentielles d'une saine gestion.*

solide capacité à gérer le stress, la capacité d'organiser efficacement son emploi du temps et l'habileté à gérer des conflits au sein d'une équipe de travail. Partant de ce constat, il devient évident que la formation continue fait partie du mandat. C'est ce qui permettra de remplir le rôle de gestionnaire avec le plein potentiel et d'en assumer plus sereinement les responsabilités.

Pour vous en convaincre, il vous suffit, si vous occupez actuellement un poste de gestionnaire, de vous attarder quelques instants à observer le déroulement d'une de vos journées de travail. Combien de temps passez-vous à régler des problèmes reliés à l'organisation du travail ou aux ressources humaines en comparaison à ceux d'ordre technique ? Combien de fois avez-vous été contraint de jongler avec les conséquences d'une absence de dernière minute ? Comment avez-vous réagi face à des motifs aussi variés que :

- Mon enfant est malade. Je ne peux le laisser à la garderie.

- Ma gardienne n'est pas disponible. Je n'ai personne pour la remplacer.

- Ma voiture est tombée en panne.

- Mon réveille-matin n'a pas sonné.

- Je dois aller chercher mon enfant. L'école vient de m'appeler.

- J'ai oublié mes lunettes, ou mon portefeuille, ou bien ma carte magnétique.
- Je ne file pas bien. Je suis en pleine séparation ou en instance de divorce.
- J'ai un rendez-vous chez le médecin.

Inévitablement, chacun de ces petits « drames » humains, certains anodins, d'autres plus sérieux, viennent colorer le métier de gestionnaire. Chaque employé apporte avec lui son lot de situations personnelles sans lien avec sa fonction au sein de l'équipe de travail, mais qui exerce une influence sur son état d'esprit au travail. Savoir y faire face doit faire partie de vos compétences. Certes, il est plus simple de s'occuper du problème posé par le mécontentement d'un client que du cas d'un employé souffrant d'un

> *Un gestionnaire ne doit en aucun cas s'immiscer dans la vie privée d'un employé.*

problème de dépendance à l'alcool ou atteint d'un état dépressif. Bien que ces situations puissent affecter le niveau de rendement d'une équipe de travail, vous devez faire preuve d'empathie, être à l'écoute des employés et, au besoin, savoir donner des conseils utiles pour aider l'employé en difficulté. Par contre, une règle s'impose : aider ne signifie pas régler le problème à la place de l'autre. Un gestionnaire ne doit en aucun cas s'immiscer dans la vie privée d'un employé. Votre rôle dans ces situations consiste à guider celui-ci.

Ce qu'on attend du gestionnaire

Face aux situations que nous venons d'évoquer, il est assez évident que le gestionnaire ne peut plus simplement se contenter d'appliquer des règles de fonctionnement au sein de l'organisation. Savoir comment réagir avec efficacité et doigté aux différents problèmes qui surviennent au cours d'une journée de travail exige du gestionnaire une grande faculté d'adaptation tant aux événements qu'aux personnes. Cela implique, entre autres choses, qu'il soit capable de jouer différents rôles et de choisir celui qui convient au problème posé. À titre d'exemple, en voici quelques-uns qu'il vous faudra acquérir.

- **Éducateur de garderie :** Éduquer les membres de son personnel au niveau du cadre de gestion défini par l'organisation en intégrant le cadre scolaire et familial de l'individu.

- **Frère/sœur :** Offrir de l'entraide, de l'écoute et de la compréhension.

- **Père/mère :** Pratiquer une écoute active éducative vis-à-vis des problèmes personnels des employés. Ce rôle est constitué d'une approche humaine, axée sur la formation, l'accommodement, l'écoute et le cheminement. Ce rôle est sans doute celui que vous jouez le plus souvent avec vos employés.

- **Policier :** Adopter une approche communautaire axée sur la conciliation, mais dans le respect des règles établies, d'une part, et sévir lorsque ces règles sont enfreintes, d'autre part.

- **Arbitre :** Nécessaire chaque fois que vous devrez faire de la médiation entre les employés de votre équipe de travail. Ce rôle basé sur une approche communautaire conduit parfois à pénaliser lorsque les règles ne sont pas suivies.

- **Conseiller personnel :** Utile chaque fois qu'il vous faut être à l'écoute de ce que vivent vos employés afin d'apporter les conseils nécessaires et même, parfois, de les aider à régler de petits problèmes sans gravité.

- **Entraîneur :** Indispensable pour être capable de rassembler votre équipe et de faire en sorte que tous agissent pour un but commun.

- **Formateur :** Inévitable parce que vous avez à enseigner la nature des tâches à exécuter ainsi que la manière de le faire. De plus, vous devez vous assurer que les membres de votre équipe soient informés du cadre de gestion défini par l'organisation.

- **Mascotte:** Agréable lorsqu'il faut créer une ambiance propice à motiver et à favoriser le rendement des employés au moment approprié.

- **Pompier:** Incontournable lorsqu'il s'agit d'«éteindre les feux» avant qu'une situation ne s'envenime et dégénère. Concerne autant les individus que les problèmes engendrés par un travail mal exécuté.

- **Psychologue:** Occasionnel, mais important dans le cas d'employés qui vivent de graves problèmes personnels (dépression, dépendance à l'alcool ou à la drogue) ou ayant des comportements nuisibles à l'organisation.

Quel que soit le rôle que vous soyez amené à jouer, mais plus particulièrement dans les cas difficiles, il est essentiel que vous ne vous laissiez pas emporter par vos émotions. Que vous puissiez les éprouver est une chose, mais leur laisser toute la place et agir en fonction d'elles ne peut que nuire, autant à vous-même qu'à vos employés.

> *Il est essentiel que vous ne vous laissiez pas emporter par vos émotions.*

Il importe de savoir prendre une certaine distance face aux émotions, de pouvoir rester en contrôle quelles que soient les circonstances. Pouvoir assumer chacun de ces rôles lorsque nécessaire, au moment opportun, c'est permettre aux employés d'acquérir un rendement conforme aux attentes de l'organisation.

L'un des dangers qui guettent le gestionnaire est d'avoir une attitude trop amicale à l'égard des employés. Souvent, en agissant de la sorte, on pense pouvoir éviter des problèmes. C'est une erreur de le croire. Il faut avoir une attitude amicale, tout en gardant une saine distance entre votre personnel et vous.

> *Le but n'est pas nécessairement de se faire aimer, mais davantage de se faire respecter.*

Cela n'est certes pas toujours facile à mettre en application. Ainsi, lorsqu'un employé est promu à un poste de chef d'équipe, de superviseur ou de contremaître, il peut se retrouver, du jour au lendemain, à devoir gérer ses anciens collègues. C'est le genre de situation dans laquelle il ne faut pas s'attendre à être nécessairement reçu par de grandes manifestations de joie.

Évidemment, dans ce type de situation, on craint de déplaire, on n'ose pas contredire des camarades avec qui on a partagé le quotidien et les mêmes tâches. Pourtant, tôt ou tard, vous allez probablement devoir en arriver là. Il ne faut jamais perdre de vue que le but n'est pas nécessairement de se faire aimer, mais davantage de se faire respecter.

Les premiers mois seront probablement les plus difficiles, car il vous faudra établir votre crédibilité avant de gagner la confiance de votre équipe. Ce qui ne sera pas chose facile, surtout si dans cette équipe se trouvent certains de vos amis proches. Il vous faudra alors faire preuve d'impartialité. Veillez également à ne pas vous laisser influencer par les perceptions qu'on aura de vous, tant de la part de vos amis que des autres employés, quels que soient les commentaires formulés à votre égard.

Voici un exemple type de ce genre de situation, constaté dans une entreprise manufacturière de vêtements à la pièce. La répartition des employés, presque tous issus de différentes communautés ethniques, était telle que chaque secteur ne regroupait pratiquement que des employés de même origine. Le contremaître chargé de la supervision de l'ensemble du personnel était de la même origine que la majorité des employés du secteur couture. Inévitablement, il fut accusé de favoritisme à l'égard des employés de ce secteur. Or, vérification faite par la direction de l'entreprise et le service des ressources humaines, il apparut que, contrairement aux allégations formulées, les employés de ce secteur étaient ceux qui se faisaient attribuer les pièces les moins payantes et qui accomplissaient les tâches les plus difficiles. Il est évident, dans cet exemple, que le gestionnaire a été victime d'un préjugé à la suite d'une mauvaise perception.

Une constatation s'impose pour tout gestionnaire, en poste ou en devenir : on ne peut aller à contresens des changements et des exigences de cette fonction. Il est nécessaire de savoir sortir de sa zone de confort, de dépasser les idées préconçues afin de pouvoir évoluer et s'adapter. Être un gestionnaire ne se limite pas à une fonction technique. C'est un métier qui requiert la capacité de se faire une vision globale des choses. Une fois les techniques de base de votre métier acquises (le savoir), il vous faudra gérer le temps, organiser les tâches, assurer le suivi des dossiers (le savoir-faire) et maintenir une saine relation avec les gestionnaires et le personnel (le savoir-être). Voilà le défi à relever pour tout gestionnaire.

CHAPITRE 4

LES QUATRE VÉRITÉS DU GESTIONNAIRE

La gestion minceur

Les quatre vérités

Des conditions gagnantes

La gestion minceur

Imaginez qu'un beau matin votre supérieur immédiat vous convoque dans son bureau. Sur un ton très amical, il vous invite à vous asseoir. Pour un peu, il vous offrirait presque un cigare et un dry martini. D'emblée, il vous félicite pour les résultats extraordinaires de votre équipe affectée à la chaîne de production : « Réussir à produire cette pièce d'équipement en 20 heures après seulement quatre mois de gestion de votre équipe, c'est vraiment fort ! Alors maintenant, prochaine étape, vous me la produisez en 15 heures. » Et avant même que vous ayez eu le temps de vous remettre du choc, il vous reconduit à la porte de son bureau, vous donne une claque amicale sur l'épaule et s'empresse de vous lancer : « Je préviens immédiatement la haute direction de cette bonne nouvelle. Et encore une fois bravo ! À propos, la petite famille se porte bien ? » Vous n'aurez guère la chance de lui répondre puisque la porte sera déjà refermée.

Les maîtres à penser de ce type de gestion, le *Lean Management* ou si vous préférez *la gestion minceur,* ont pour devise : *faire mieux avec moins.* Cette petite phrase, anodine à première vue, a pourtant de quoi faire frémir tous les gestionnaires. Le principe de base de cette approche s'appuie sur un concept simple. Il s'agit en fait de mettre en place un système de production ou d'opération offrant un produit ou un service de la meilleure qualité qui réponde aux attentes des clients. Mais cela doit se faire en réduisant au maximum les coûts d'opération, en éliminant le gaspillage et en utilisant le moins de ressources possible.

Ces principes de gestion ne datent pas d'hier. On les applique depuis plus d'une cinquantaine d'années. C'est au Japon, au lendemain de la Seconde Guerre mondiale, qu'on a commencé à les mettre en application. Mais c'est au cours des années 1980 qu'une entreprise japonaise attira l'attention du monde entier. Les résultats qu'elle connaissait, grâce à la mise en place d'un nouveau modèle de gestion, surpassaient tout ce qui se faisait à l'époque. Alors que ses concurrents, à l'échelle mondiale, éprouvaient de sérieuses difficultés, le constructeur automobile Toyota réussissait à engranger des profits de manière constante. Cette façon de faire révolutionnaire fut rapidement baptisée : *la méthode TPS* (Toyota Production System).

Depuis, et cela tout particulièrement au cours des dernières décennies, de nombreux gourous de la gestion ont publié des ouvrages vantant les mérites de la gestion minceur. Cette approche est également connue sous diverses appellations:

- La gestion juste à temps;
- La gestion Kaizen;
- La méthode Kanban;
- La méthode SMED
  (Single Minute Exchange of Die);
- La méthode japonaise des cinq S
  (seiri: débarrasser; seiton: ranger; seiso: nettoyer; seiktsu: ordonner; shitsuke: être rigoureux);
- La méthodologie du sigma six.

En 2003, Jeffrey K. Liker publie un livre intitulé *The Toyota Way, 14 Management Principles from the World's Greatest Manufacturer* dans lequel il fait l'éloge des 14 principes de la méthode de *gestion minceur*:

- **Principe 1:** Instaurer une philosophie à long terme, même si cela affecte la réalisation de certains objectifs financiers à court terme.

- **Principe 2:** Créer un flux continu afin de repérer rapidement les problèmes.

- **Principe 3** : Utiliser le « flux tiré » pour éviter la surproduction.

- **Principe 4** : Niveler les opérations.

- **Principe 5** : Instaurer une culture d'arrêt de production, afin de régler les problèmes dès qu'ils surviennent et viser à atteindre la qualité du premier coup.

- **Principe 6** : Standardiser les opérations lorsque c'est possible, ce qui constitue la base de l'amélioration continue et de la responsabilisation des employés.

- **Principe 7** : Utiliser des contrôles de gestion visuels afin qu'aucun problème ne reste caché.

- **Principe 8** : Ne mettre au service du personnel et des processus que des technologies éprouvées.

- **Principe 9** : Identifier, former et miser sur des leaders qui connaissent à fond le travail, qui vivent la philosophie ou la culture de l'entreprise et qui sont capables de la transmettre aux autres.

- **Principe 10** : Développer des personnes et des équipes de travail exceptionnelles qui adhèrent à la culture ou à la philosophie de l'organisation.

- **Principe 11** : Respecter le réseau étendu de l'organisation, des partenaires et des fournisseurs en les mettant au défi ainsi qu'en les aidant à s'améliorer eux aussi.

- **Principe 12** : Aller soi-même sur les lieux constater une situation afin de s'assurer de la comprendre en profondeur.

- **Principe 13** : Prendre des décisions éclairées et en recherchant un consensus. Prendre le temps de considérer toutes les options possibles. Valider toutes les implications puis agir rapidement afin d'assurer la mise en place des solutions retenues.

- **Principe 14** : Devenir une organisation qui évolue grâce à la réflexion et à l'amélioration continue.

L'intention est louable et il est bien difficile de ne pas être en accord avec ces principes.

Il n'en reste pas moins qu'en 2009 et 2010, Toyota, l'un des maîtres incontestés de cette école de pensée, a dû faire face à une grave crise. Un défaut d'installation de la pédale d'accélération sur certains modèles fut à l'origine de la situation. L'une des conséquences majeures de cette déficience fut le rappel de plusieurs millions de voitures à l'échelle de la planète. Du jamais vu dans l'histoire de Toyota. Sans compter les pertes financières de plusieurs millions de dollars venues s'ajouter à la baisse de confiance des consommateurs.

Face à cet événement, on est en droit de se poser certaines questions. Sans pour autant remettre en cause les principes fondamentaux de la méthode de gestion de Toyota, il importe d'analyser ce qui a failli dans le système.

Est-ce la philosophie de l'organisation, servir au mieux les clients, qui aurait été balayée au second plan par l'ambition de devenir le plus grand manufacturier automobile du monde et, du même coup, satisfaire les actionnaires du groupe aux dépens du client?

En voulant faire mieux avec moins, l'entreprise n'a-t-elle pas pris le risque de ne pas s'assurer d'une supervision adéquate des employés sur les lignes de montage, y compris celles des sous-traitants avec lesquels Toyota faisait affaire?

Il semble ressortir de façon assez évidente que Toyota n'a probablement pas mis en place les mécanismes qui lui auraient permis de déceler rapidement le défaut d'installation à la base du problème. L'entreprise n'a pas commencé, du jour au lendemain, à produire des mauvaises voitures, mais plutôt à mal gérer l'assemblage de celles-ci. Les présidents Watanabe et Toyoda ont confirmé avoir partiellement mis de côté la qualité pour permettre une plus grande, plus rapide et moins coûteuse production[13].

---

[13] Philippe Laguë, Toyota: restons calmes! Le Devoir, http://www.ledevoir.com/economie/transport/282608/toyota-restons-calmes, 8 février 2010.

Pourtant, tout dans la philosophie de l'entreprise avait été conçu dans le but d'éviter ce type de situation. Alors pourquoi un tel échec?

Confronté à une concurrence internationale de plus en plus féroce, le géant nippon a-t-il su prendre les bonnes décisions en ce qui a trait au niveau de supervision requis pour l'ensemble de son personnel? Les problèmes auxquels Toyota a dû faire face durant cette crise seraient-ils une illustration «exemplaire» d'une remise en question d'un des modes de fonctionnement de l'entreprise: des cellules d'employés considérés autonomes recevant peu ou pas de supervision de leur gestionnaire?

Notre hypothèse est la suivante: le modèle de gestion instauré par Toyota demeure encore un modèle en la matière. Cela ne le rend pas pour autant invulnérable. Loin de nous l'idée d'intenter un procès d'intention du style de gestion de Toyota. Nous considérons cependant que, dans une économie mondiale marquée par des marges de profit de plus en plus minces et des revenus de plus en plus fluctuants, la responsabilité des gestionnaires de s'assurer du souci de performance et d'efficacité de l'organisation tout en veillant au rendement des employés est incontournable. Diminuer le nombre de gestionnaires au sein d'une organisation, et donc réduire le temps consacré à la supervision du personnel, affecte directement la performance et l'efficacité d'une organisation. Le moindre manquement à cette règle peut conduire à des situations aussi problématiques que celle qu'a vécue Toyota. Nous restons toujours en accord avec les principes de la gestion minceur, mais pas au détriment de la nécessaire supervision du personnel au sein d'une organisation, quel que soit son niveau de responsabilité. Il est intéressant de souligner qu'en janvier 2011, le président de Toyota concédait que son organisation avait souffert de cette crise et ajoutait du même souffle : « Nous avons beaucoup appris de cette année. Nous avons introduit de nouvelles règles faisant de la qualité une grande priorité… Nous avons appris et nous en avons tiré les leçons[14]. »

> *Le facteur humain demeure central à toute préoccupation.*

Une organisation qui décide de mettre en œuvre les principes de la gestion minceur pour améliorer sa performance et son efficacité ne devrait jamais, quelle que soit sa taille, perdre de vue que le facteur humain demeure central à toute préoccupation. Une mauvaise gestion du personnel et une supervision inadéquate peuvent en affecter

---

[14] Sébastien Templier, Crise des rappels : Toyota a retenu la leçon, La Presse, section La Presse Affaires, p. 7 mercredi 12 janvier 2011.

sérieusement le fonctionnement. Faire mieux avec moins n'implique pas nécessairement une diminution du nombre de gestionnaires ou la réduction de leur temps de supervision. Se priver d'une gestion efficace et rigoureuse, c'est prendre le risque de se retrouver face à des problèmes difficiles à contrôler par la suite. Faire mieux avec moins ne veut surtout pas dire aller à contre-courant de ce qui tombe sous le sens.

Les quatre vérités

Notre prise de position

Dans le prolongement de cette réflexion, notre expérience de terrain nous amène, sans équivoque, à vous livrer ce que nous nommons les quatre vérités du gestionnaire. Il s'agit en fait de quatre réalités qui constituent la pierre d'assise de notre école de pensée en ce qui concerne le rôle du gestionnaire. C'est le fruit de notre expérience de terrain, de la collaboration et de la validation des nombreux gestionnaires et dirigeants avec lesquels nous travaillons qui sous-tend cette prise de position.

Ces quatre vérités permettront à l'organisation d'atteindre de hauts standards de performance et d'efficacité, et au personnel d'offrir un rendement satisfaisant.

- **Vérité 1 :** 80 % des individus (employés et gestionnaires) ont besoin d'une supervision continue et adéquate.

- **Vérité 2 :** Un gestionnaire ne devrait pas avoir plus de 20 employés à superviser.

- **Vérité 3 :** Un gestionnaire devrait passer environ 70 % à 75 % de son temps sur le « plancher ».

- **Vérité 4 :** Un gestionnaire devrait se faire comprendre efficacement, en sachant communiquer, considérer un problème et discipliner adéquatement.

Vérité 1 : le besoin de supervision, la règle des trois

Croire que les employés sont tous capables d'une pleine autonomie tient de l'utopie. Une saine autonomie ne signifie pas l'absence de supervision. Certes, l'expérience accumulée au cours des années permet à certains employés de développer leur compétence, mais n'exclut pas pour autant que la qualité de leur travail puisse être évaluée. Dans les faits, on constate qu'environ 20 % d'entre eux seulement atteignent ce stade. D'où cette nécessité d'assurer une supervision au niveau des facteurs de compétence : savoir (tâches), savoir-faire (organisation du travail) et savoir-être (personnalité). Quel que soit le métier exercé, le niveau d'expérience ou d'ancienneté au sein d'une organisation, gestionnaires et employés, peu importe l'âge ou le sexe, une majorité d'individus ont besoin d'une supervision adéquate dans l'un ou l'autre de ces éléments, voire dans les trois. Il y a fort à parier que, si l'ensemble des employés d'une entreprise étaient capables d'une totale autonomie, ils travailleraient probablement tous à leur compte. Un exemple fort intéressant est celui des sportifs de haut niveau. Aucun d'entre eux n'assume une pleine autonomie de ses tâches. Ce sont les entraîneurs qui les supervisent. Il suffit de prendre l'exemple des grandes ligues sportives et de voir combien d'entraîneurs sont engagés afin d'améliorer les performances d'une équipe et le rendement des athlètes.

> *Si l'ensemble des employés d'une entreprise étaient capables d'une totale autonomie, ils travailleraient probablement tous à leur compte.*

On considère que les besoins de supervision des employés et des gestionnaires se répartissent en fonction de trois groupes d'individus, ce que nous désignons comme la règle des trois :

- Les conformistes (60% du groupe)
- Les autonomes (20% du groupe)
- Les délinquants rebelles (20% du groupe)

Le groupe des *conformistes* est celui qui rassemble le plus grand nombre d'individus, ceux qui ont besoin de supervision et qui souhaitent en bénéficier de façon régulière. Le conformiste ne cherche pas à se distinguer des autres. Il ne cause pas de problèmes, et son dossier aux ressources humaines est sans histoire.

Dans la catégorie des *autonomes*, on trouve ceux que l'on pourrait qualifier de «performants naturels». Ils possèdent un degré d'autonomie relativement élevé par rapport à la moyenne tant du point de vue des tâches à accomplir que dans l'organisation du travail et du comportement. Ils ne requièrent que très peu ou peu de supervision. Par contre, ayant souvent le besoin de se dépasser, ils sont toujours prêts à en faire un peu plus. Leur demander, par exemple, de se rendre à l'étape 8 d'une tâche signifiera pour eux qu'ils peuvent essayer d'atteindre l'étape 9, voire la 10. Le paradoxe avec ce type d'employés est qu'il faut leur donner des défis et des responsabilités à la hauteur de leurs attentes sans pour autant leur laisser le choix et la décision quant à leurs tâches.

Les *délinquants rebelles* ont besoin de supervision, mais la refusent. Ils estiment posséder suffisamment d'autonomie tout en étant, la plupart du temps, très conformistes. Ce type d'attitude oblige le gestionnaire à faire preuve de stratégie dans ses interventions. Un *délinquant rebelle* ne doit pas avoir l'impression qu'on lui impose ce qu'il doit faire ou la façon de le faire. Face à lui, un gestionnaire devra réussir à jouer différents rôles[15] et à ne pas être déstabilisé par sa façon de toujours mettre en doute, subtilement, la nature des gestes et des décisions du gestionnaire. Un *délinquant rebelle* peut faire preuve d'un pouvoir de conviction tel qu'il lui sera possible d'entraîner toute une équipe derrière lui. Dans certains cas, son influence pourra être si néfaste qu'il faudra même envisager des plans d'intervention afin de pouvoir l'aider à s'adapter au cadre de gestion de l'entreprise. Il n'est pas rare, par ailleurs, qu'un *délinquant rebelle* manifeste un comportement de leader charismatique. Le gestionnaire pourra alors se servir de cette caractéristique en lui laissant une certaine latitude contrôlée. On appelait ça, autrefois : «Avoir une main de fer dans un gant de velours». Ce type de leader, capable d'une influence négative, se distingue du leader naturel. Ce

---

[15] Voir au chapitre 3, pages 76-77-78.

dernier aura une attitude beaucoup plus positive. Il est donc important pour un gestionnaire de savoir le repérer au sein de son équipe. Ce n'est pas nécessairement parmi les employés les plus performants et les plus efficaces qu'on le trouve. Un bon employé *conformiste* peut s'avérer être un leader positif au sein d'une organisation.

Au-delà de ces différentes caractéristiques, il ne faut pas perdre de vue qu'un individu ne correspond pas nécessairement de façon idéale au groupe dans lequel on le classe. Ainsi, pour des raisons indépendantes de son travail, un employé habituellement conformiste peut fort bien, du jour au lendemain, se retrouver dans le groupe des délinquants rebelles, soit parce qu'il manque de stimulation ou encore par frustration, estimant qu'on ne tient jamais compte de ses observations. De la même manière, un employé jugé autonome dans un département donné peut être amené à manifester un comportement différent dans un autre département. L'environnement global (per-

> *L'environnement global (personnel, familial et professionnel) de l'individu a un impact important sur son besoin de supervision.*

sonnel, familial et professionnel) de l'individu a un impact important sur son besoin de supervision.

Il est donc important pour un gestionnaire de savoir reconnaître les caractéristiques de chacun de ses employés afin de pouvoir adapter ses interventions. Ayant affaire, par exemple, à un employé de type conformiste, il sait qu'il devra être présent à ses côtés plusieurs fois par jour pour le conseiller, le motiver, le valoriser et, même au besoin, le discipliner. La clé d'une supervision efficace réside dans la capacité du gestionnaire d'être vigilant face aux comportements de ses employés. Car, au-delà des caractéristiques dans lesquelles on les classe, il se peut que des changements d'attitude se produisent pour toutes sortes de raisons n'ayant rien à voir avec le travail. Le gestionnaire doit alors accepter le fait qu'il n'a aucun contrôle réel sur la situation. Il ne peut pas non plus vouloir changer la nature d'un individu et essayer de transformer un employé conformiste en employé autonome. Si un tel changement se produit, ce qui peut arriver, il est le fait de la décision de l'employé et non du gestionnaire. Il faut savoir accepter cette réalité qu'il n'y ait jamais plus de 20 % d'employés ayant peu ou très peu besoin de supervision. C'est un phénomène de synergie humaine tout à fait normal entre les individus d'un même groupe. Tout comme il est tout à fait normal qu'un gestionnaire, aussi efficace soit-il, ait besoin d'être supervisé et que nous devions appliquer les mêmes principes de besoin de supervision que nous venons de voir avec les employés.

Vérité 2 : un maximum de 20 employés à superviser

Ce que nous avons pu découvrir dans les organisations au sein desquelles nous sommes intervenus au fil des années nous amène à faire un constat important. Tout nous porte à croire que pour remplir ses tâches adéquatement et pour que l'organisation atteigne des objectifs de performance et d'efficacité élevés, un gestionnaire ne devrait pas avoir à superviser plus de 20 employés. En tenant compte du fait que 20 % d'entre eux seulement sont autonomes, cela implique que le gestionnaire doit consacrer son temps à la supervision de 16 personnes, et ce, de façon soutenue.

À notre avis, toute organisation visant un haut niveau de performance et d'efficacité, ainsi qu'un souci permanent de standards très élevés dans la qualité de service à la clientèle, se devrait de maintenir un tel ratio. Imaginons, par exemple, qu'un dirigeant d'une organisation ait 400 employés sous sa responsabilité. À raison de 20 employés pour chaque gestionnaire de premier niveau, il est beaucoup plus facile de faire face aux situations problématiques. Chaque gestionnaire peut constater et évaluer beaucoup plus efficacement la nature du problème posé. Il pourra donc réagir beaucoup plus rapidement en prenant la décision adéquate. Or, ce que nous constatons régulièrement, c'est qu'il est bien rare que les problèmes se règlent de façon aussi efficace, ce ratio n'étant pas en place dans un grand nombre d'organisations.

Il suffirait pourtant pour se convaincre de la nécessité de ce ratio d'évaluer, par exemple, sur une période de trois mois, les coûts engendrés par les erreurs, les oublis ou les dommages matériels résultants d'une supervision inefficace ou insuffisante. Il deviendrait alors évident que le rapport coût/bénéfice d'une supervision adéquate respectant le ratio d'un gestionnaire pour 20 employés s'avérerait très rentable pour l'organisation.

Nous n'ignorons pas que, dans certains cas, il n'est pas évident de respecter cette structure. Il n'en demeure pas moins nécessaire alors de s'assurer de la mise en place d'un système efficace. Ainsi, pour le responsable d'une équipe comptant plus d'une vingtaine d'employés, il serait pertinent de nommer un chef d'équipe capable d'aider à coordonner les tâches des employés. Celui-ci pourrait, tout en restant sous votre supervision, s'assurer de l'exécution des tâches appropriées par les employés de son équipe tout en continuant à exécuter ses propres tâches.

Par contre, dans le cas du dirigeant d'une organisation, il n'est pas nécessairement évident de réussir à établir ce ratio de supervision par rapport au nombre de gestionnaires à superviser. Tout dépend de plusieurs variables : secteur d'activité, standards de performance et d'efficacité recherchés, niveau de compétence de l'équipe de gestionnaires. Dans ce cas, nous n'estimons pas nécessaire de devoir tenir compte d'un ratio commun.

Vérité 3 : donner son 70 % sur le plancher

Au sein d'un groupe composé d'une vingtaine d'employés, un gestionnaire devrait passer de 70 % à 75 % de son temps sur le plancher.

Assurer la supervision ne veut pas dire « jouer au patron ».

Pour un quart de travail de huit heures, cela implique une présence effective de quatre à six heures par jour. Bien entendu, cette durée varie en fonction du nombre d'employés sous sa supervision. Un gestionnaire n'ayant que dix employés à superviser n'aurait besoin que de la moitié de ce temps.

Durant cette période, le gestionnaire devra s'assurer de mettre en place les composantes de sa gestion :

1. Superviser ses employés
Assurer la supervision ne veut pas dire « jouer au patron ». Par contre, cela implique d'assumer les fonc-

tions d'encadrement, de suivi des opérations, de communication et de formation. Superviser le personnel, c'est se fixer trois objectifs :

- S'assurer que chaque employé accomplit ses tâches telles qu'elles sont organisées et réparties par le gestionnaire.
- S'assurer que chaque employé respecte le cadre de gestion.
- S'assurer que chaque employé demeure motivé.

Il faut se rappeler qu'on ne supervise pas les employés parce qu'on ne leur fait pas confiance, mais bien parce que c'est nécessaire. D'autre part, un gestionnaire se doit d'avoir une vue d'ensemble des tâches exécutées par chacun des employés afin de s'assurer de leur rendement. Laisser les employés livrés à eux-mêmes ne permet pas de s'assurer du rendement et de la qualité du travail effectué.

2. Exécuter ses propres tâches

Pour aller plus vite, certains gestionnaires ont parfois la fâcheuse habitude d'exécuter les tâches de leurs employés. Cette réaction non seulement n'est pas efficace pour l'employé qui n'apprend pas comment exécuter sa tâche mais, en plus, elle empêche le gestionnaire d'accomplir les

> *Il faut savoir reculer, parfois, pour mieux sauter.*

siennes. Il vaut mieux dans ce cas prendre le temps de montrer à l'employé comment faire son travail. Comme disait un vieux proverbe plein de sagesse, c'est-à-dire de bon sens : « Il faut savoir reculer, parfois, pour mieux sauter. » Prendre son temps n'implique pas perdre son temps, bien au contraire.

Il ne serait pas plus efficace, comme nous avons eu l'occasion de le constater de la part de gestionnaires en poste depuis plusieurs années, de se lancer dans la course aux projets : réparer la poignée de la porte d'entrée de la salle de conférence, changer les néons de la salle des archives et remplir les bons de commande de la machine distributrice de la cafétéria des employés. Tout cela aux dépens de réelles tâches de gestion.

Dans le contexte actuel du fonctionnement des organisations, nous considérons qu'un gestionnaire devrait consacrer 40 % de son temps à la supervision et à l'exécution de ses tâches. Il est fort probable, comme tend à le démontrer l'analyse de l'évolution du rôle du gestionnaire[16], que l'on devra probablement aller jusqu'à 60 % au fil des années à venir.

Dans la portion de temps qui lui reste sur le plancher, le gestionnaire doit s'assurer de pouvoir régler à la source

---

[16] Voir tableau, chapitre 2, page 49.

les problèmes qui se présentent, en plus d'améliorer l'efficacité opérationnelle de son équipe.

Vérité 4 : se faire comprendre

Superviser de façon adéquate suppose que l'on puisse se faire comprendre. Pour y parvenir, il est important de savoir maîtriser trois étapes essentielles et successives :

1. Savoir communiquer.
2. Savoir considérer un problème.
3. Savoir discipliner.

1. Savoir communiquer

Communiquer, voilà probablement un des concepts les plus utilisés de notre époque. Il n'y a qu'à voir la profusion d'outils de communication et la multiplication des réseaux sociaux de toute nature [17] pour s'en convaincre. On texte, on MSN, on ne peut plus ne pas être en communication instantanée. Loin de nous l'idée de banaliser ce courant inévitable. Communiquer fait partie de nos réalités quotidiennes, mais sommes-nous pour autant capables de réellement communiquer ? Ce n'est pas si certain, particulièrement dans un contexte de gestion où il est nécessaire de pouvoir faire usage d'une communication efficace.

---

[17] Facebook, Twitter, Linked in, etc.

Qu'est-ce que communiquer ? La réponse peut sembler évidente. Pourtant, si on s'arrête un instant pour y songer, on verra qu'il n'en est rien. Dans l'esprit de bien des gens, communiquer consiste simplement à formuler à quelqu'un ce qu'on doit lui dire. Or, ce n'est qu'une partie de la communication. Nous avons transmis notre information, mais qu'en est-il de la personne qui l'a reçue ?

Pour mieux comprendre, il est important de bien saisir ce qu'est la communication.

Pour qu'il y ait communication, il faut deux personnes ou deux groupes de personnes. Celui qui veut transmettre une information et celui qui doit la recevoir. Entre les deux, il y a le moyen utilisé pour transmettre ce message. Les diagrammes suivants l'illustrent bien.

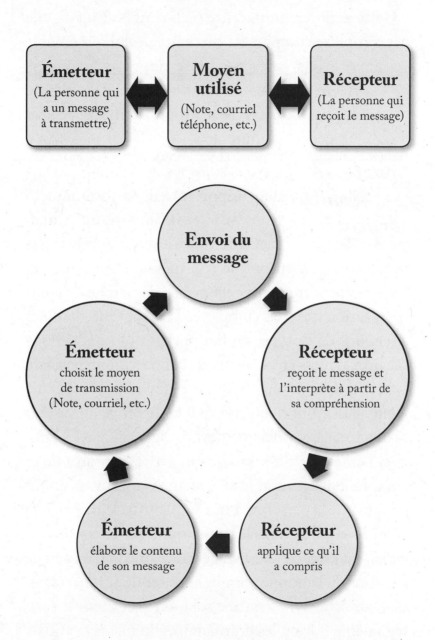

Cette action peut paraître bien simple. En fait, elle est complexe. La plupart du temps, celui qui émet le message ne se pose pas une question pourtant essentielle : « Mon message a-t-il été compris ? Si oui, comment ? »

> *« Mon message a-t-il été compris ? Si oui, comment ? »*

Nous sommes là devant l'étape la plus importante de la communication. Si le gestionnaire qui transmet une information ne prend pas le temps de s'assurer que son message a été reçu et compris correctement, c'est que sa démarche de communication n'est pas complète. Très souvent, dans des situations de ce type, on fait porter à l'autre, le destinataire du message, l'odieux de la non-compréhension. La remarque la plus fréquente devient alors la suivante : « Ils n'ont rien compris à la directive que je leur ai donnée. » Le problème n'est pas là, car dans les faits, c'est l'émetteur du message qui est responsable de sa compréhension, non le récepteur. C'est lorsqu'on est certain que la personne à qui l'on destine le message l'a compris comme nous le souhaitions que la communication est efficace. C'est au gestionnaire qu'il revient de s'assurer de la bonne compréhension de ses messages. Et pour cela, il n'y a qu'une solution : questionner stratégiquement le ou les destinataires du message afin de voir ce qui a été compris ou non : «*Je ne suis pas certain si j'ai bien présenté la situation. Pourrais-tu m'expliquer pourquoi je demande que l'on n'empile pas plus de cinq boîtes sur la palette de chargement ?*» Et non de cette façon : «*As-tu compris pourquoi je demande qu'on n'empile pas plus de cinq boîtes sur la palette de chargement ?*»

Mais, pour en arriver là, il faudra savoir faire preuve de patience, dans certains cas. L'observation du graphique ci-dessous en est la démonstration.

1/3	• **Compréhension immédiate du message**

1/3	• **Pensent avoir compris, mais ils n'ont pas compris** • **Nécessité de reformuler le message 3 à 5 fois**

1/3	• **Ne comprennent pas le message** • **Pour environ la moitié de ce groupe, soit 1/6, il y a nécessité de reformuler le message plusieurs fois. Le reste du groupe, soit le dernier 1/6, ne veut pas comprendre.**

On estime qu'en règle générale, un tiers des individus comprennent immédiatement le message qui leur est adressé. Dans le cas d'une organisation, ce sont souvent des employés qui ont déjà effectué à plusieurs reprises ce qui est demandé. De plus, ils travaillent d'ordinaire depuis un bon moment avec le gestionnaire qui a émis le message, ce qui facilite leur compréhension. Si vous formulez, par exemple, cette consigne : « Empile les boîtes dans un coin », le premier tiers des individus n'aura aucun mal à l'appliquer en jugeant naturellement de la meilleure façon de le faire.

Le second tiers est certain d'avoir compris immédiatement le message. Or, il n'en est rien. Pour ce groupe, il y a des chances que les boîtes se retrouvent empilées dans un équilibre précaire pour la bonne et simple raison que vous n'avez pas spécifié le nombre de boîtes à empiler sur une seule colonne ou jusqu'à quelle hauteur le faire. Il faut alors reformuler la consigne. À titre indicatif, il faut savoir que l'on devra reprendre la présentation du message de trois à cinq fois afin qu'il soit réellement compris. Mais attention, reformuler ne signifie pas uniquement répéter, mais plutôt reprendre le message sous une autre forme plus adaptée à l'individu à qui on le destine. Cela ne signifie pas non plus fournir une telle abondance de détails que l'employé finirait par se demander si on le prend pour un idiot. Il faut savoir trouver le ton juste en s'adaptant à la personne à laquelle on s'adresse. Il est important néanmoins de veiller à bien reconnaître les employés de ce groupe, car ils sont souvent à l'origine des problèmes qu'il vous faudra ensuite gérer. D'autre part, chaque fois qu'on le peut, il est préférable de formuler un message en utilisant le «je» plutôt que le «tu». Cette nuance peut paraître futile, voire absurde. Elle est pourtant importante dans la communication. Je peux manifester à l'autre ce que je souhaite: «J'aimerais que...», plutôt que: «Tu devrais...». Pour certains, cette seconde formulation peut apparaître comme un rapport d'autorité et provoquer une réaction négative, alors que la première formulation ne peut être interprétée dans ce sens.

Le dernier tiers n'a pas compris le message, pour toutes sortes de raisons. Dans ce cas, il faudra reformuler le message de trois à cinq reprises. Pour certains, cette solution finira par porter fruit. Il faut néanmoins se mettre une limite quant au nombre de fois. Pour les autres qui ne veulent pas comprendre, il faudra alors considérer le problème et prendre les décisions qui s'imposent.

On voit donc bien que, pour un gestionnaire, savoir communiquer adéquatement est une compétence fondamentale à maîtriser si l'on veut éviter bien des malentendus, des erreurs, des dommages, des oublis et de nombreuses pertes de temps. Il est essentiel de faire la différence entre *informer* et *communiquer une information.* Dans le premier cas, c'est au récepteur de prendre la responsabilité de comprendre le message et non à l'émetteur. Prenons l'exemple du chef d'antenne au bulletin de nouvelles télévisées : ce dernier informe, mais ne communique pas.

Un autre facteur est à prendre en considération si l'on souhaite que la communication prenne sa place comme outil essentiel de gestion. On considère que la durée de vie d'une notion assimilée par la mémoire ne serait, dans la plupart des cas, que très limitée : d'un à trois mois selon la complexité du contenu transmis.

Cela ne signifie pas que le récepteur ait totalement oublié l'information, mais qu'elle est reléguée dans un autre coin de la mémoire par d'autres messages plus récents. Cette réalité est d'ailleurs à la base de campagnes de promotion de grandes organisations. Pour s'en convaincre, il faut voir comment des compagnies de boissons gazeuses et des chaînes de restauration rapide parmi les plus connues au monde multiplient les campagnes publicitaires, jour après jour, et cela en dépit de leur notoriété.

Ce fait constaté, il devient évident pour tout gestionnaire qu'on ne peut se contenter uniquement d'avoir transmis un message. S'assurer de sa compréhension au moment de la transmission ne suffit pas pour en assurer la validité. Il est nécessaire de vérifier, régulièrement et systématiquement, que le contenu du message est encore compris et appliqué tel qu'on l'a formulé selon les principes de la communication.

2. Savoir considérer un problème

On sait qu'environ 80%[18] des employés n'ont aucun besoin qu'on en arrive à ce stade. Mais comment agir avec les 20% restants? Cette étape consiste à essayer de se faire comprendre d'un employé qui, de son côté, a ses propres raisons de ne pas comprendre et de ne pas le vouloir. Il s'agira donc, dans un premier temps, de rencontrer l'employé en question, de façon informelle et non préjudiciable, afin de valider, de part et d'autre, les raisons de l'incompréhension de l'information transmise ainsi que les motifs du refus de la mettre en œuvre. Cette étape franchie, il importe de demander à l'employé de s'engager dans une démarche de meilleure compréhension et de s'assurer du suivi de cet engagement. Cette rencontre informelle doit rester privée

---

[18] Les 80% équivalent à l'addition des deux premiers tiers plus la moitié du dernier tiers, soit 1/6, ce qui fait qu'en les additionnant on atteint 80%. Voir aussi le tableau de la page 109.

et confidentielle, afin de s'assurer de la confiance de l'employé dans le processus. On constate en règle générale que de ces 20%, le quart des individus réagissent positivement. Pour les autres, il n'y a d'autre alternative que d'envisager une démarche disciplinaire.

3. Savoir discipliner

C'est probablement la tâche la plus ingrate et la plus difficile à exercer pour un gestionnaire. Tous s'entendent pour le dire, discipliner n'a rien de facile. Le comportement humain n'est ni totalement noir ni totalement blanc, et naviguer dans la grisaille demande du talent.

> *Le comportement humain n'est ni totalement noir ni totalement blanc, et naviguer dans la grisaille demande du talent.*

L'une des difficultés majeures tient au fait qu'on ne sait jamais comment va réagir l'employé concerné par une mesure disciplinaire. On prépare un dossier solide et documenté, on scénarise toutes les possibilités de revirement, on sait exactement quoi dire, à quel moment et de quelle manière. Seulement voilà, au moment de l'entretien, rien ne se passe comme prévu. Cette situation est monnaie courante dans l'étude de cas de mesures disciplinaires. Rien n'est évident à ce stade, compte tenu des conventions de travail et des cadres légaux qui s'y appliquent.

Un processus disciplinaire est une démarche très complexe. C'est pourquoi il est préférable dans tous les cas de consulter un professionnel de l'aspect juridique du domaine concerné par votre organisation afin d'être judicieusement conseillé.

Tolérer un employé dont le mauvais esprit et l'attitude contestataire sont manifestes, c'est également prendre le risque de perdre la motivation des autres employés.

La plupart du temps, en tenant compte de votre contexte organisationnel, un processus disciplinaire se déroule de manière structurée. Il se développe en quatre étapes :

- Première étape : l'employé fait l'objet d'un avis verbal.

- Seconde étape : l'employé reçoit un avis écrit.

- Troisième étape : l'employé est suspendu.

- Quatrième étape : l'employé est congédié.

Lors des trois premières étapes, l'objectif du gestionnaire doit toujours être d'essayer d'aider l'employé à s'adapter au cadre de gestion et de travail de l'organisation.

Ce n'est jamais de gaieté de cœur que l'on prend la décision d'appliquer l'étape du congédiement. Il existe pourtant des cas où elle demeure inévitable et nécessaire. Trop souvent, on ne s'en tient qu'à la deuxième ou à la troisième étape. Tout gestionnaire se doit de réaliser que, pour certains individus, il n'y a pas d'autre choix. À défaut de le faire, c'est l'état d'esprit de toute une organisation qui risque d'en souffrir. Tolérer un employé dont le mauvais esprit et l'attitude contestataire sont manifestes, c'est également prendre le risque de perdre la motivation des autres employés. Pour eux, cette situation pourra être interprétée comme un manque de leadership du gestionnaire et même inciter certains à quitter l'organisation.

Communiquer, considérer un problème, discipliner. Voilà, selon nous, la meilleure façon d'intégrer au sein des équipes de travail les critères de standard de qualité, de rendement, de sécurité et de comportement, autrement dit votre cadre de travail et de gestion. De plus, ce processus doit s'appliquer de façon continue afin d'en assurer le succès. Pour en arriver là cependant, il faut réunir cinq conditions.

Les conditions préalables pour se faire comprendre

1. Établir un cadre de travail précis et adapté à l'organisation.

2. Déterminer le niveau de tolérance attendu.

3. Faire preuve d'uniformité et de constance dans le traitement des employés.

4. Ne pas craindre de mettre en œuvre les mesures disciplinaires.

5. Avoir le soutien de ses supérieurs.

1. Établir un cadre de travail précis et adapté à l'organisation

Il est essentiel de définir un cadre de travail précis et adapté au type d'organisation concernée, c'est-à-dire l'ensemble des responsabilités, des règles, des attentes et des façons de faire qui détermineront le rendement des employés. C'est sur cette base que le gestionnaire pourra s'appuyer en cas de problème.

2. Déterminer le niveau de tolérance attendu

C'est en tenant compte à la fois du secteur d'activité de votre organisation, des standards de qualité, de performance et d'efficacité définis, ainsi que de votre style de gestion, que vous pourrez déterminer le niveau de tolérance: peu élevé, élevé ou très élevé. Ainsi, plus les standards de performance et d'efficacité seront élevés, moins votre niveau de tolérance par rapport à la discipline devra l'être.

3. Faire preuve d'uniformité et de constance dans le traitement des employés

Pour éviter toute perception d'injustice de la part des employés, il est essentiel de traiter chacun d'eux d'une façon juste et équitable et avec la même rigueur pour tous, sans jamais brûler d'étape au cours du processus.

4. Ne pas craindre de mettre en œuvre et d'appliquer les mesures disciplinaires

À partir du moment où l'on engage une mesure disciplinaire, il est important de poursuivre le processus intégralement selon les normes établies. Un gestionnaire ne doit pas revenir sur les décisions prises lors d'une procédure disciplinaire. Le faire, c'est mettre en péril sa crédibilité et celle de l'organisation au sein de son équipe de travail, puisque, dès lors, la mesure retenue n'a plus aucune valeur.

Il est nécessaire d'être conséquent dans ses actes et dans ses décisions. C'est là une excellente façon de s'assurer de l'application du cadre de gestion. Sans cette rigueur, on ne peut atteindre le niveau d'efficacité et de productivité indispensable à toute organisation qui vise à se démarquer de la concurrence.

5. Avoir le soutien de ses supérieurs

Il s'agit d'un des éléments clés de la démarche de se faire comprendre. Cela peut sembler évident et pourtant ce n'est pas toujours le cas. Il n'est pas si rare qu'un dirigeant d'organisation préfère garder un employé qui ne respecte pas le cadre de travail ou dont le comportement inadéquat déteint sur le personnel plutôt que d'engager une procédure de congédiement. Les motifs d'une telle attitude vont de la crainte de s'opposer au syndicat à celle de ne pas pouvoir trouver un employé pour combler le poste qui deviendrait vacant. Dans le cas où un gestionnaire se trouverait face à une telle situation, sachant fort bien que sa démarche est justifiée, nous lui conseillons vivement d'avoir un entretien avec son supérieur afin de clarifier la situation.

Les cinq sources de motivation

Fort de ces quatre vérités, un gestionnaire peut aborder sa fonction avec confiance et professionnalisme. Mais, il manque encore un ingrédient pour que la recette d'une supervision efficace soit réussie : la motivation des employés. C'est une des clés importantes de la supervision de personnel. On ne peut passer outre.

On sait qu'un employé qui ne se sent pas bien dans son milieu de travail ne peut donner un rendement adéquat. Il ne s'agit pas ici d'exploiter ce contexte de bien-être dans ce seul but, mais bien de faire en sorte que le souci de l'humain prenne une juste place dans une organisation. Et qui, mieux que le gestionnaire, dispose des meilleurs atouts pour atteindre cet objectif? C'est lui qui est le plus proche des employés.

Le gestionnaire est donc bel et bien l'élément de motivation le plus important pour les employés.

De nombreuses études ont été menées afin de savoir ce qui avait le plus d'impact sur le sentiment de bien-être des employés dans le cadre de leur travail et sur ce qui les amenait à demeurer au sein d'une organisation. Cinq critères ont été retenus dans les éléments de réponse. En ordre décroissant, ils se présentent comme suit:

- **5ᵉ position:** une rémunération équitable.

- **4ᵉ position:** des défis et des responsabilités à la hauteur de la capacité et de la volonté de chacun.

- **3ᵉ position:** une communication transparente quant aux décisions, orientations et cadre de gestion de l'organisation.

- **2ᵉ position:** une saine ambiance de travail.

- **1ʳᵉ position:** une relation adéquate avec le supérieur immédiat.

Ce supérieur immédiat, c'est le gestionnaire. C'est dire à quel point cette fonction est primordiale au sein d'une organisation. Le gestionnaire est donc bel et bien l'élément de motivation le plus important pour les employés.

À ce titre, la relation que vous entretenez avec eux est cruciale, car elle peut être déterminante dans le choix d'un employé de rester au sein de l'organisation et de performer ou de la quitter. Il est important de souligner que la relation adéquate avec le supérieur immédiat est reliée directement aux besoins de supervision de ses employés (autonomes, conformistes et délinquants rebelles).

Savoir créer une ambiance de travail agréable et entretenir une relation de confiance avec les employés représente la meilleure garantie pour une organisation d'atteindre des hauts standards de performance et d'efficacité.

Mais maintenir une saine atmosphère au sein d'une équipe exige du gestionnaire une vigilance constante. Vous devez particulièrement veiller à ce que des grains de sable relationnels ne viennent pas miner l'ambiance de travail. Rien de tel que de laisser place aux ragots ou aux préjugés de toutes sortes pour créer des conflits entre les employés. Le meilleur moyen de faire en sorte que cela se produise le moins souvent possible, c'est de vous assurer de maintenir un lien de communication efficace avec vos employés.

Il n'y a pas vraiment de recette miracle dans ce domaine, mais il existe une approche qui contribue grandement à établir cette qualité de saine atmosphère : la motivation. La vôtre bien évidemment, mais également celle de vos employés. Quel défi propose-t-on aux employés qui leur donnerait le sentiment d'un accomplissement personnel ? Existe-t-il des possibilités de promotion ? Les employés sont-ils consultés à propos de leurs conditions de travail ? Tient-on compte de leurs observations ? Autant de questions dont les réponses aideront à créer un climat de motivation. Encore une fois, ne craignons pas de le souligner, c'est la communication avec les employés qui vous aidera à savoir ce qu'il en est. L'exemple qui suit est très significatif du fait que le sentiment d'accomplissement, moteur de la motivation, est quelque chose de très personnel.

Il s'agit du cas d'un employé dont la tâche consistait à remplir des sachets d'épices. Un travail que beaucoup jugeraient routinier et peu valorisant. Or, il n'en était rien pour cet employé. Son sentiment d'accomplissement personnel ne se basait pas sur sa tâche, mais bel et bien sur la fierté qu'il ressentait à voir ces mêmes sachets sur les étagères des magasins où il se rendait. C'est cela qui le rendait heureux d'accomplir sa tâche.

À notre point de vue, se soucier de la motivation et de la valorisation des employés ne se limite pas à ce que l'on a pu constater depuis la fin des années 1960. Accorder des augmentations salariales, des bonifications en argent ou en temps de vacances supplémentaire ou une rémunération équitable ne suffit pas pour développer une saine motivation. On peut, bien évidemment, se demander ce qu'est une rémunération équitable. En ce qui nous concerne, nous estimons, de façon générale, qu'une rémunération équitable ne se situe ni trop au-dessus ni trop au-dessous des conditions de rémunération attribuées aux postes comparables. Cette question, d'ailleurs, nous en sommes convaincus, ouvre la porte à de nombreuses discussions entre experts en rémunération.

Ces éléments encouragent la motivation, certes, mais à la condition que les autres critères de satisfaction soient réunis. On peut tout simplement résumer ces principes à cette idée qu'un employé motivé est un employé heureux et qu'un employé heureux ne craint pas d'offrir un rendement satisfaisant. Qui s'en plaindrait ? Ni l'employé, ni le gestionnaire et encore moins le dirigeant de l'organisation.

Et le rendement dans tout ça ?

Un fait demeure et on ne peut le mettre de côté. Aborder cette question de la motivation ne doit pas nous faire perdre de vue une composante essentielle : c'est la compétence et la motivation qui sont les meilleurs facteurs de rendement des employés au sein d'une organisation.

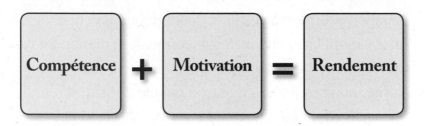

Il va de soi que cette équation est valable pour tout le personnel d'une organisation, quel que soit son niveau hiérarchique. Il importe de bien saisir que le rendement ne vient pas automatiquement avec les compétences. Nous connaissons tous des gens ayant un grand potentiel d'accomplissement personnel, mais incapables de le mettre en œuvre par manque de motivation. Le monde du sport

Sans ce feu sacré que l'on appelle la motivation, même le plus grand talent naturel ne mène à rien.

professionnel regorge d'exemples de jeunes athlètes pleins de potentiel qui se sont avérés, une fois leur contrat signé, être des athlètes « comme les autres », faute de motivation, et dont le rendement a été décevant par rapport aux attentes. Sans ce feu sacré que l'on appelle la motivation, même le plus grand talent naturel ne mène à rien.

Des conditions gagnantes

Il appartient certes à chacun de faire les choix qu'il juge pertinents pour la bonne marche de son organisation ou de son équipe de travail. Il n'en demeure pas moins qu'en ce qui nous concerne, notre expérience et ce que nous avons constaté sur le terrain depuis le milieu des années 1980 ne font que renforcer notre conviction et nos idées quant à la nécessité d'une gestion efficace.

En fait, une évidence s'impose à tous : survivre dans un univers où la concurrence internationale est de plus en plus féroce et les marges de profit précaires et fluctuantes ne laisse guère de choix. Il faut savoir comment réagir adéquatement. Alors, pourquoi ne pas faire le pari de prendre au sérieux ces quatre vérités ? À bien y réfléchir, vous avez tout à y gagner et peu à perdre. Au mieux, ce sera un excellent retour sur l'investissement.

Au pire, vous ferez votre propre constat sans rien perdre et choisirez de privilégier votre façon d'affronter la situation.

Si vous faites le choix de nous suivre dans notre démarche, voici quelques conditions gagnantes à respecter. En premier lieu, nous l'avons déjà précisé, mais il n'est pas inutile de le répéter, il est primordial pour une organisation de créer un cadre de gestion précis et détaillé afin d'en maximiser le fonctionnement. Rappelons que ce cadre de gestion doit refléter la cohérence entre, d'une part, la mission et les stratégies choisies par l'organisation et, d'autre part, le cadre de mise en application de ces stratégies. C'est la clarté et la précision des objectifs et des attentes qui sont à la base d'un bon fonctionnement, donc des conditions essentielles à l'atteinte des standards de performance et d'efficacité recherchés.

Se contenter de *toutes autres tâches connexes* pour définir un poste de généraliste ne rime à rien. Tant et aussi longtemps que la description des tâches et les responsabilités d'un poste n'auront pas été précisées en détail, comment peut-on espérer mesurer le rendement des employés ? Pire encore, comment les employés peuvent-ils s'acquitter correctement de leurs tâches s'ils n'en connaissent même pas la nature ?

Il ne faut pas perdre de vue que le but d'un cadre de gestion n'est pas d'assurer un contrôle des employés. C'est la rigueur de sa définition qui est garante, pour toute organisation, de quelque nature qu'elle soit, du haut niveau de performance et d'efficacité opérationnelle. Or, que recherche un client? La réponse est évidente : la meilleure qualité, au meilleur prix et avec le meilleur service.

Une fois ce cadre de gestion établi, encore faut-il savoir le communiquer aux employés. C'est une des tâches du gestionnaire de s'assurer qu'il est bien compris par l'ensemble des employés. Quels que soient le degré d'expérience des employés ou leur niveau de compétence, il n'est jamais inutile de faire un bref rappel quotidien ou, à tout le moins, hebdomadaire, ne serait-ce qu'afin de remettre en mémoire – cette faculté qui oublie vite – les standards de performance et d'efficacité de l'organisation. Par contre, il est essentiel que le gestionnaire soit conscient de l'impact qu'aura sa façon de faire respecter le cadre de gestion. La rigueur et un niveau de tolérance très bas amèneront certains employés à réagir. À l'opposé, une manière peu rigoureuse et un niveau de tolérance trop élevé provoqueront également une réaction.

Parmi les conditions gagnantes, le gestionnaire ne doit jamais minimiser son attention aux employés. Cela ne signifie pas de manifester en permanence sa sympathie ou son encouragement à l'aide d'une petite claque dans le dos. Il s'agit davantage d'être attentif aux changements de comportements, d'essayer d'en comprendre les motifs et d'agir en conséquence. Certaines situations vécues hors du travail peuvent influencer le comportement et le rendement d'un employé sans qu'il s'agisse pour autant d'un acte de mauvaise volonté de sa part.

À l'heure actuelle, les individus sont bien plus enclins à parler de leurs problèmes personnels qu'auparavant. Si l'on prenait la peine de mesurer l'ampleur des facteurs qui affectent le rendement du personnel, on constaterait qu'en grande partie, ce sont des problèmes indépendants du travail. Le gestionnaire doit savoir, dans ces cas, prendre de son temps pour être à l'écoute de son employé et essayer de lui fournir l'aide ou les conseils dont il peut avoir besoin. Faire preuve de compassion n'est jamais une perte de temps. L'employé qui en aura bénéficié saura en être reconnaissant. Certes, cette habileté est beaucoup plus exigeante que de régler le cas d'un employé ne sachant pas utiliser un logiciel. Il n'en demeure pas moins qu'aujourd'hui, tout gestionnaire se doit d'en faire preuve, et cela, pour le mieux-être de l'ensemble de l'organisation. Nous traiterons plus en détail de ce sujet au chapitre suivant.

Savoir gérer efficacement ne s'apprend pas dans un livre de recettes rapides ou de pensées magiques. C'est un art qui suppose patience, persévérance et rigueur. C'est ce qui fait la beauté et la richesse de cette fonction. En appliquant les exigences de ce métier, on apprend, au fil des années, à devenir un gestionnaire respecté, apprécié et compétent. Faut-il quelque chose de plus pour être heureux dans son travail ?

CHAPITRE 5

UN CADRE DE GESTION PRÉCIS ET RIGOUREUX

De quoi parle-t-on ?

Un modèle en la matière

Un défi pour les organisations

De quoi parle-t-on ?

Dans les chapitres précédents, nous avons souligné l'importance pour toute organisation, qu'elle soit publique ou privée, d'avoir un cadre de gestion. Pourquoi alors revenir sur ce point en particulier ? La raison est bien simple : il s'agit de la pierre angulaire de toute structure organisationnelle. On peut toujours bâtir une maison sans fondations. Mais, tôt ou tard, les conséquences de cet oubli deviendront évidentes : fissures, affaissement et autres problèmes se multiplieront. Aucune équipe sportive ne peut réussir à atteindre des sommets dans son domaine sans avoir une stratégie bien définie, planifiée et mise systématiquement en application lors de chaque partie. Les joueurs sont importants, certes, mais aussi excellents soient-ils, sans plan de match et sans esprit d'équipe, leur rendement est limité. De la même façon, toute or-

> *Toute organisation doit s'appuyer sur un cadre de gestion précis et rigoureux.*

ganisation souhaitant attcindrc scs standards de performance et d'efficacité afin de demeurer compétitive doit
s'appuyer sur un cadre de gestion précis et rigoureux.
Dans le contexte actuel de complexité des relations com-
merciales et de la fluctuation des marchés, il n'est donc
pas inutile de s'attarder à ce point et d'en préciser un peu
plus les avantages. La stabilité et la saine croissance des
organisations en dépendent.

Cadre de gestion et cadre de travail

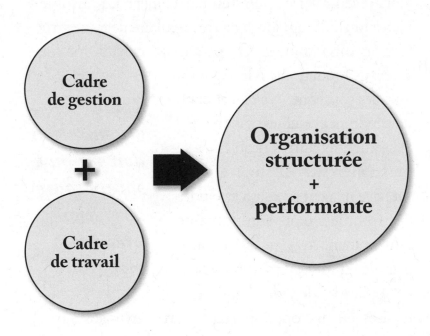

Le graphique ci-dessous fait référence à une série d'actions et de décisions engageant la responsabilité de tous les membres d'une organisation, mais à des niveaux différents.

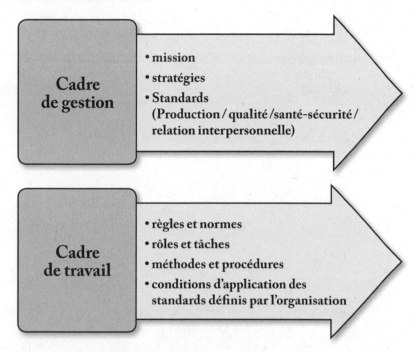

Le cadre de gestion

Le cadre de gestion est de la responsabilité des dirigeants de l'organisation. Il appartient à ceux-ci de définir leur organisation et les objectifs de cette dernière. Cette démarche est fondamentale, autant pour le client que pour les employés. Le client saura clairement à quelle organisation il s'adresse. Les employés connaîtront exactement la nature de leur travail. Pour cela, il faut établir un modèle organisationnel centré sur quatre éléments essentiels :

- La mission ;
- Les stratégies ;
- Les standards ;
- Les valeurs.

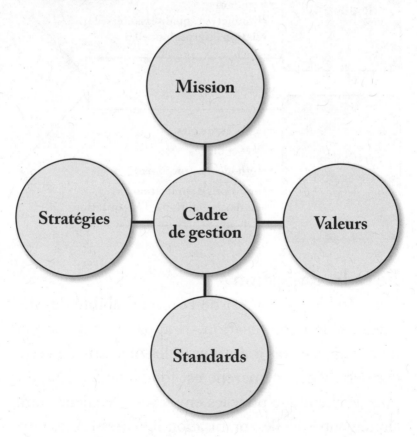

La mission

Toute organisation se doit de définir sa raison d'être. C'est le rôle de la *mission*. En fait, il s'agit tout simplement de préciser le but visé en se demandant: « *Quel est mon marché?* » Une organisation qui, par exemple, se définirait en se présentant comme Entrepreneur ne serait pas assez précise. Par contre, la même organisation spécifiant son domaine d'intervention comme *Entrepreneur en électricité* cible beaucoup mieux sa mission. Mais, il y a encore place à plus de précision, donc à un meilleur positionnement en fonction du marché. Notre entrepreneur pourra alors préciser qu'il vise soit le *secteur résidentiel,* soit le *secteur commercial* ou encore les deux réunis.

Les stratégies

Pour s'assurer que son entreprise soit rentable, compétitive et durable, l'entrepreneur devra faire un certain nombre de choix. Il devra, entre autres, évaluer ses ressources financières, les ressources humaines et technologiques à mettre en place, en plus d'élaborer un modèle économique de mise en marché.

Les standards

Afin de faire en sorte que les stratégies élaborées portent fruit, une organisation ne peut se passer de *standards.* Cela signifie pour notre entrepreneur qu'il aura à déterminer le seuil de performance et d'efficacité qu'il souhaite atteindre et, par conséquent, ce qu'il attend de ses employés. Dans le même temps, il lui faudra élaborer des normes de qualité des services offerts ainsi que les conditions de travail du personnel, en plus des standards de service à la clientèle et de santé et sécurité au travail.

Les valeurs

Déterminer les valeurs propres à une organisation, c'est construire une culture d'entreprise. Cette idée peut prêter à sourire et, pourtant, elle est une des clés de la réussite. C'est en déterminant de façon claire et précise les valeurs qu'elle privilégie qu'une organisation laisse sa marque et se présente comme unique dans son domaine. Les valeurs mises de l'avant peuvent varier en fonction de l'organisation. Mais, quelle qu'en soit la taille, on retrouve certaines valeurs similaires:

> *Déterminer les valeurs propres à une organisation, c'est construire une culture d'entreprise.*

- la qualité des produits et du service à la clientèle;
- le savoir-faire dans la réalisation du produit ou du service;
- l'adaptation au progrès;

- le souci du bien-être et du respect du personnel ;
- le sentiment d'appartenance à l'organisation.

D'autres valeurs plus contemporaines, dites éthiques, prennent de plus en plus de place au sein des organisations. Cette conscience d'une nouvelle culture d'entreprise est née de la mondialisation des marchés. De nombreuses organisations faisant affaire avec des sous-traitants dans des pays en émergence ont été confrontées à certaines réalités telles que le travail des enfants, d'où ce souci de valeurs basées sur :

> *D'autres valeurs plus contemporaines, dites éthiques, prennent de plus en plus de place au sein des organisations.*

- La responsabilité sociale.

Il faut également souligner l'apparition d'une autre valeur, peu mise en évidence auparavant :

- la responsabilité environnementale : de plus en plus d'organisations veillent à se conformer à de nouvelles normes dans ce domaine (Certification ISO[19] /produits équitables, etc.)

---

[19] Une entreprise qui satisfait à une meilleure gestion et une meilleure utilisation de ses ressources en conformité avec des normes environnementales internationales peut obtenir une classification ISO.

La force de ces valeurs mises en évidence dans une organisation a pour conséquence de fidéliser autant le personnel que les clients, en plus d'être un facteur de cohésion, que ce soit autour du produit ou de l'image de marque de l'organisation.

Le cadre de travail

Le cadre de travail, outil indispensable dans la mise en œuvre de la mission d'une organisation, est essentiellement de la responsabilité des gestionnaires qui doivent s'assurer de son application. Il vise à établir les éléments suivants :

- La répartition des rôles et des tâches de l'ensemble du personnel.
- L'élaboration de l'ensemble des règles, des méthodes et des procédures de travail.
- Les règles de santé et de sécurité.
- Les conditions nécessaires à l'établissement d'une qualité de vie au sein de l'organisation.
- Les conditions nécessaires à de saines relations entre tous les membres du personnel.

Une réalité troublante

On constate, à l'heure actuelle, un phénomène qu'il est impossible de passer sous silence lorsqu'on aborde la question de la gestion au sein d'une organisation. Il prend de l'ampleur avec l'arrivée sur le marché du travail de jeunes employés. Nous l'avons signalé brièvement[20] dans un précédent chapitre, mais il nous semble important de souligner à nouveau la nécessité pour les gestionnaires d'être conscients de cette réalité. On se trouve alors en face d'une dichotomie qui n'est pas la plus facile à gérer, étant donné qu'elle fait appel à des valeurs contradictoires.

Valeurs de génération/Valeurs de l'organisation

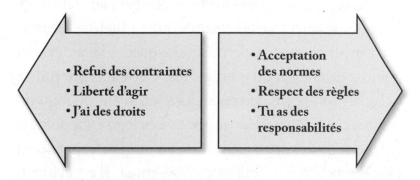

• Refus des contraintes
• Liberté d'agir
• J'ai des droits

• Acceptation des normes
• Respect des règles
• Tu as des responsabilités

Voici deux exemples, a priori anodins, mais qui mettent bien en évidence notre propos. Le contremaître d'un chantier vit arriver un jour un jeune travailleur nouvellement embauché. Il possédait toutes les qualités pour l'emploi et affichait le sourire de celui qui a hâte de se mettre au travail. Il avait ses outils et

---

[20] Chapitre 2, page 55.

une superbe paire de bottes toutes neuves, mais sans lacets. Lorsque le contremaître le lui fit remarquer, le jeune homme répliqua qu'il n'en avait pas besoin, qu'il avait toujours porté ses souliers à lacets sans lacets. Non seulement il a fallu lui en trouver une paire, mais il y a fort à parier que le contremaître a dû être obligé de lui montrer comment faire ses nœuds…

L'autre cas, nous en avons été témoins au sein d'une firme comptable pour laquelle nous avons travaillé. Un matin, la jeune réceptionniste se présenta au travail arborant une éclatante chevelure couleur fuchsia. Certes, il n'y avait aucune règle précisant quelle devait être la couleur de cheveux des employés. Cette réceptionniste occupait son poste de travail juste en avant du logo du cabinet comptable. Il se trouve que ce logo était orangé. Le mélange des deux couleurs avait de quoi frapper l'œil de n'importe quel client qui se présentait. Il est évident, dans ce cas, que sans être une situation grave, ce fait restait néanmoins dérangeant pour certaines personnes. Le problème, c'est que personne dans le cabinet n'osait le lui dire et lui demander, tout simplement, de faire l'effort de répondre à une certaine image du cabinet.

Ce qu'il convient de tirer de ces deux exemples souligne plus que jamais la nécessité pour les organisations de définir clairement leur cadre de gestion et pour les gestionnaires de développer les habiletés nécessaires pour faire face à ce type de situation sans laisser les choses se dégrader ou sans provoquer de conflits générationnels.

Le défi des organisations

L'objectif d'un cadre de gestion n'est certes pas de servir à des fins malveillantes ou d'agir comme irritant envers les employés, mais plutôt de maintenir un très haut niveau de performance et d'efficacité opérationnelle au sein d'une organisation. Pourquoi ? Parce que les attentes des clients n'ont jamais été aussi élevées tant au niveau du prix et de la qualité que du service. Est-ce que cette tendance s'accentuera ou non dans les prochaines années ?

Les attentes des clients n'ont jamais été aussi élevées tant au niveau du prix et de la qualité que du service.

Peu importe que ce soit dans un hôpital, dans un cabinet d'avocats ou chez un concessionnaire automobile, le client recherche toujours ces trois éléments : le meilleur prix, la meilleure qualité et le meilleur service.

N'oubliez jamais que le client, c'est votre raison de vivre. Cette règle est immuable que ce soit pour une multinationale de grande renommée, une petite entreprise comptant trois employés et même un travailleur autonome sans employés. Le vrai dirigeant dans une organisation, c'est le client.

Le diagramme suivant illustre les enjeux importants de ce rapport client-organisation :

L'environnement économique, social, technologique et éthique

Clients
Internes
Externes
• Prix / Service
Qualité

Nom de l'organisation
Cadre de gestion
Rôle du gestionnaire

La direction
Efficacité opérationnelle
Profits (secteur privé)
Niveau de service
(secteur public)

Le Personnel
Performance
Compétence / Motivation
Aptitudes / Attitudes

PODC

En d'autres termes, il est important que chaque organisation implante une saine gestion par un cadre de gestion clair – pour le mieux-être de tous, les employés autant que les gestionnaires.

Un modèle en la matière

Actuellement, nombre d'organisations mettent de l'avant la rigueur d'un cadre de gestion essentiel à leur performance et à leur efficacité tout en assurant à leurs employés un cadre de travail respectueux de leur qualité de vie. Contrairement à ce que l'on a pu penser, les deux sont conciliables. Cette approche n'est pas seulement le fait d'organisations importantes ou de petites entreprises familiales. Elle est d'abord et avant tout un choix de gestionnaire et de direction.

Prenons l'exemple d'une entreprise très connue dans le monde, *Walt Disney Company*, pour souligner notre point de vue sur l'impact d'un cadre de gestion rigoureux dans la réussite d'une organisation. Ce qui est étonnant dans le cas de Disney, c'est la continuité dans le développement. Voilà maintenant presque 20 ans que nous nous intéressons au cas de cette organisation. Soit comme professionnels ou comme clients, non seulement à cause de sa structure organisationnelle telle qu'elle nous est présentée, mais également en raison de l'application rigoureuse de son cadre de gestion dans les parcs à thèmes du groupe Disney.

Que ce soit au *Disneyland* d'Anaheim (Californie), au *Walt Disney Resort* d'Orlando (Floride) ou au *Disneyland* de Paris, ce qui surprend, c'est la constance et la rigueur dans la définition du cadre de gestion, tout autant que sa mise en application. Il suffit d'observer de près la mise en place et l'organisation d'une des multiples parades présentées plusieurs fois par jour pour s'en rendre compte.

Une évidence saute aux yeux : tous les employés, autres que les artistes, sont facilement reconnaissables à leurs uniformes. Chaque groupe porte un élément distinctif selon les tâches qui lui reviennent. Avant, pendant et après la parade, chacun est à son poste, disposant des outils nécessaires. Mais, ils ne sont pas seuls sur le terrain. Les gestionnaires de premier niveau ainsi que les niveaux supérieurs y sont aussi, supervisant les opérations, prêts à intervenir pour corriger ou faire face à une situation donnée, si nécessaire. Ce qui assure l'efficacité de cette façon de faire, c'est un cadre de gestion rigoureux et appliqué. En contrepartie, le public est à même de constater la qualité de la prestation et de l'environnement dans lequel elle se déroule : sécurité et propreté. Pourrait-il en être autrement dans une structure aussi énorme s'il n'y avait pas cette exigence de rigueur ? Il suffit de comparer les parcs de Disney avec certains autres parcs d'amusement pour s'en convaincre.

Dans l'esprit de bien des gens, hélas, rigueur rime avec contrainte imposée aux employés. Lorsqu'une organisation est soucieuse de maintenir un cadre rigoureux tout en offrant un cadre de travail qui respecte les employés et leur donne la chance de pouvoir se sentir responsables, chacun à son niveau, on est face à un superbe outil de motivation.

Pour en terminer avec Disney, deux chiffres sont intéressants à retenir[21] :

- Ancienneté moyenne des employés : six ans, alors que nombre d'entre eux sont, bien souvent, encore étudiants lorsqu'ils entrent au sein de l'organisation Disney.
- Budget de formation : 5 % de la masse salariale.

À eux seuls, ils suffisent à souligner l'impact d'un cadre de gestion rigoureux et, surtout, mis en application concrètement de façon permanente.

---

[21] Source: site Internet de Disney, *février 2011*.

Un défi pour les organisations

Pour réussir à atteindre cet objectif garant d'une bonne performance et le maintenir à un niveau élevé, une organisation doit s'imposer certaines conditions :

- Établir le cadre de gestion en s'assurant qu'il puisse s'adapter aux exigences du client.

- Déterminer un niveau de tolérance adéquat par rapport aux trois critères suivants : communiquer, considérer un problème et appliquer la discipline.

- Faire preuve de constance dans l'application du niveau de tolérance dans le cas d'un non-respect du cadre de gestion.

- Assumer totalement les décisions liées à un manquement disciplinaire en n'hésitant pas à recourir, si nécessaire, au congédiement d'un employé.

- Soutenir les gestionnaires chargés de l'application du cadre de gestion.

L'une des attitudes les plus à risque de la part d'un gestionnaire est de tolérer l'intolérable. On sait, par exemple, lorsque le marché du travail est défavorable à l'employeur, qu'un gestionnaire peut être tenté de tolérer certains écarts de conduite d'un employé. Le motif : la crainte de perdre cet employé et de ne pas être certain de pouvoir en retrouver un autre sur le marché du travail. Voilà exactement le genre d'erreur à ne pas commettre. Ne pas aller au bout d'une démarche disciplinaire, c'est faire savoir à l'ensemble des employés que chacun peut se permettre ce qu'il veut. Cette perte de contrôle née du manque de confiance dans l'approche et la rigueur du gestionnaire peut avoir des conséquences néfastes pour l'organisation en provoquant un climat d'insatisfaction difficile à gérer.

Gérer l'insatisfaction

Les réactions face à l'insatisfaction peuvent se manifester différemment selon le tempérament des individus. S'attarder à ce point pour bien en saisir les tenants et les aboutissants est important. C'est en étant conscient de toutes les réactions possibles qu'un gestionnaire pourra faire face à cette situation, si nécessaire. On peut observer quatre façons de réagir face à l'insatisfaction :

- En quittant l'organisation.
- En choisissant d'en parler.
- En jouant l'indifférence.
- En s'installant dans la révolte silencieuse.

En règle générale, l'employé qui choisit de quitter l'organisation manifeste un seuil très bas de tolérance aux problèmes. Il sera capable de faire part de son mécontentement. Mais, si le gestionnaire n'arrive pas à maîtriser la situation et que rien ne change, cet employé s'en ira tout simplement travailler ailleurs. Ceux qui en arrivent à une telle décision sont, le plus souvent, des employés autonomes. Quelle organisation peut se permettre le luxe de perdre de tels employés ?

L'employé qui fait le choix de parler ouvertement de son insatisfaction le fait habituellement dans un esprit de collaboration. En agissant de la sorte, il espère contribuer à la résolution du problème.

Parfois, il choisira d'en parler à d'autres collègues de travail ou bien encore à un autre gestionnaire. Ce choix pourra également se porter sur le service des ressources humaines afin de sensibiliser les responsables à ce qui se passe. À l'occasion, il le fera avec le gestionnaire directement concerné.

Les employés qui feront le choix de rester indifférents à la situation ou, à tout le moins, de sembler ne pas être concernés, sont généralement ceux que l'on caractérise comme conformistes. Ils donneront l'impression de comprendre, d'accepter le cadre de gestion sans opposer la moindre résistance. Dans les faits, ce n'est pas le cas. Par contre, la plupart d'entre eux se contentent d'endurer la situation. Parce qu'à l'occasion ils auront essayé, sans succès, de manifester leur mécontentement, ils en arriveront rapidement à une conclusion du type : « De toute façon, à quoi ça sert ? », un argument qui sera à la source de leur fatalisme. Le risque majeur avec les employés qui réagissent ainsi, c'est qu'ils deviennent rapidement démotivés. Comme ils ne quitteront pas l'organisation d'eux-mêmes et que leur comportement peut devenir nuisible quant à leur rendement, il est important que le gestionnaire essaie de les aider. Si cette démarche n'aboutit pas, il faudra alors prendre les mesures qui s'imposent en pareil cas : ne pas craindre de mettre en œuvre et d'appliquer les mesures disciplinaires.

Laisser aller les choses n'est pas tolérable. N'oubliez jamais ce proverbe : « Il faut savoir se méfier de l'eau qui dort. » Face à l'insatisfaction, il y a ceux qui semblent indifférents, mais qui laissent place, peu à peu, à une révolte silencieuse qui se manifestera de manière insidieuse. Cela peut aller du simple fait de parler en mal de vous dans votre dos jusqu'à des gestes intentionnels beaucoup plus conséquents. Le plus souvent, il s'agira, par exemple, d'absentéisme élevé, d'accumulation de retards injustifiés, d'accidents de travail ou de congés de maladie à la chaîne, d'oublis de remplir certains formulaires sachant que cela retardera le travail, etc. Bref, toute une série de gestes apparemment anodins mais qui peuvent avoir de sérieuses conséquences sur le rendement.

Certains peuvent aller beaucoup plus loin dans leur réaction, n'hésitant pas à provoquer des dommages matériels ou des bris volontaires d'équipement. Nous avons été à même de le constater, lors d'une intervention dans une compagnie de transport. Un des gestionnaires soupçonnait certains employés de se livrer à une révolte silencieuse. Certains camionneurs semblaient en effet frappés par un maléfice quelconque provoquant un nombre anormal de crevaisons par rapport à certains de leurs collègues. Pire, sur les mêmes trajets que ces derniers, ils devaient faire face à des bouchons de circulation épouvantables provoquant d'énormes retards dans les livraisons. C'était à ce point systématique que le gestionnaire en arriva à se demander si ces camionneurs ne se servaient pas de leur système GPS pour aller se plonger dans les secteurs les plus problématiques de la circulation plutôt que de les contourner. Il est bien évident que de tels employés nuisent à l'ensemble de l'organisation. Dans des situations semblables, un gestionnaire ne doit pas hésiter à mettre en œuvre les procédures nécessaires afin de s'assurer que le problème soit réglé au plus vite. Un dernier conseil: ne soyez pas dupe en pensant que cette attitude ne serait le fait que de certains employés. Il ne faut pas se fier aux apparences. C'est donc la vigilance du gestionnaire qui doit être le meilleur garant contre les manifestations de mécontentement. Le gestionnaire doit ainsi favoriser la démarche de parler de son insatisfaction à son supérieur, afin d'y trouver des solutions pour éviter toute perte de performance et d'efficacité pour l'organisation attribuables aux trois autres réactions à l'insatisfaction.

Les problèmes personnels

Pour compléter ce chapitre, nous vous laissons sur la réflexion suivante sur le rôle du gestionnaire face aux problèmes personnels de ses employés.

Lorsque nous avons commencé à travailler comme consultant vers le milieu des années 1990, les employés exprimaient beaucoup moins leurs problèmes personnels au travail. Nous ne disons pas qu'il y en avait moins, mais simplement que l'on en parlait beaucoup moins au travail qu'actuellement.

Voilà donc une autre réalité avec laquelle vous devez désormais composer dans l'exercice de votre métier de gestionnaire.

Un contremaître que nous connaissons bien se rendit un jour à l'un de ses chantiers de construction une journée où l'horaire de travail était particulièrement chargé. À son arrivée, l'un de ses employés s'empressa de l'approcher pour lui demander de lui accorder un peu de temps:

«Je suis très pressé, lui répondit le contremaître, mais je peux tout de même t'accorder cinq minutes.

– Michel, s'exclama aussitôt le travailleur en retenant à peine ses larmes, il faut que je te parle. Ma femme vient de me quitter après 22 ans de vie commune.»

De loin, la scène devait paraître un peu surréaliste, car cet employé de 2 m et pesant plus 130 kg s'agrippait, le dos voûté par la peine, au bras de son contremaître mesurant 1,60 m et faisant presque la moitié de son poids. Ce dernier passa une bonne demi-heure à écouter son employé éploré. Il va sans dire que son horaire de travail déjà chargé en a pris pour son rhume !

Mais ce contremaître avait-il réellement le choix ? Nous estimons que non, car il s'agissait ici d'un problème important. D'un problème personnel, certes, mais d'un problème important. Cet employé avait besoin d'écoute et de réconfort à un moment critique de sa vie.

Cela n'avait rien à voir avec son travail, mais ce contremaître –sans faire abstraction du contexte humain, bien entendu – savait fort bien qu'en n'écoutant pas cet employé, le trop-plein d'émotion de celui-ci pourrait nuire à son rendement sur le chantier, voire à sa propre sécurité et à celle des autres membres de son équipe.

En tant que gestionnaire, vous aurez de plus en plus à faire face à de telles situations. Par contre, vous ne devrez pas régler ces problèmes à la place de l'employé ; vous devrez plutôt le guider dans une démarche de résolution de problèmes personnels.

S'il était possible de mesurer l'ampleur des « problèmes » personnels que vos employés subissent et apportent avec eux au travail, vous seriez probablement surpris à quel point très peu des difficultés qu'ils rencontrent dans l'exercice de leur fonction sont en fait reliées à des raisons dites professionnelles.

Vous seriez probablement surpris à quel point très peu des difficultés qu'ils rencontrent dans l'exercice de leur fonction sont en fait reliées à des raisons dites professionnelles.

Vous conviendrez qu'un employé qui ne maîtrise pas bien un logiciel constitue un « problème » bien plus simple à régler et à gérer qu'un employé aux prises avec un problème de drogue ou d'alcool. Au sein de votre équipe, il est à parier que le domaine personnel prendra toujours plus de place que les problèmes professionnels de vos employés.

Alors, ne jouez pas à l'autruche. Soyez à l'écoute et sachez faire preuve de compassion en temps opportun. Autant pour le mieux-être de vos employés, que pour le vôtre et celui de votre organisation !

La rigueur n'a jamais tué personne pourvu qu'elle s'installe dans un climat de respect et de confiance. « Main de fer dans un gant de velours », disait-on autrefois. Pourquoi refuserait-on de le dire encore aujourd'hui ? Plus les guides sont explicites, plus les itinéraires à suivre sont bien détaillés, moins le voyage est difficile. N'ayons pas peur en tant que gestionnaires de nous appuyer sur cette exigence d'un cadre de gestion. Ceux qui en bénéficieront sauront très vite qu'il n'est pas un poids, bien au contraire. Les autres, ceux qui ne veulent rien savoir, ne craignons pas de dire qu'ils n'ont pas leur place au sein de l'organisation. Ne tolérez pas l'intolérable.

Avez-vous maintenant le courage de passer à l'action ?

CONCLUSION

Vous voici maintenant au terme de la démarche de réflexion quant à votre métier de gestionnaire. Qu'en retirez-vous ? Pour les uns, ce sera l'énergie de s'investir. Pour les autres, un sentiment de découragement face à l'ampleur de la démarche. Quoi qu'il en soit, notre souhait est que ce livre éveille chez vous une prise de conscience de l'importance du métier de gestionnaire dans une organisation.

La marche à franchir pour devenir un gestionnaire efficace vous semble trop haute ? Dites-vous simplement que d'autres avant vous ont eu la même réaction, ce qui ne les a pas empêchés de réussir. Tous les témoignages que nous avons reçus au fil des années en sont la preuve. Ce livre a pour but de vous aider à y parvenir, mais il n'est que le début de votre évolution dans le métier de gestionnaire. Considérez-le comme un ouvrage de référence et de réflexion.

Allez-y étape par étape en vous fixant des objectifs à court et à moyen terme. N'oubliez pas cependant que pour progresser, il faut avant tout être ouvert à cette idée. Devenir gestionnaire, c'est faire le choix d'un mode de vie qui exige que vous portiez une attention toute particulière à votre comportement et à vos propos. Plus vous consacrerez de temps à mettre en pratique ce que vous avez découvert au fil des pages de ce livre, plus vous deviendrez à l'aise dans l'application des principes d'une saine gestion. Petit à petit, les résultats ne tarderont pas à se faire sentir. Votre niveau de confiance augmentera et la gestion deviendra dès lors une seconde nature pour vous. On ne devient pas un expert du jour au lendemain, mais on apprend chaque jour davantage à le devenir.

Quels beaux défis !

Ce plaisir d'exercer votre métier dans une nouvelle perspective ne vous mettra pas à l'abri, cependant, de certaines réalités. Il vous faudra savoir naviguer en eaux troubles, être à l'aise face à certaines situations au dénouement imprévisible et supporter de mauvaises journées. Peut-être même en arriverez-vous, parfois, à un tel découragement que l'envie de tout abandonner vous prendra. N'en soyez pas surpris. Ce sont des réactions tout à fait normales. Elles font partie des réalités du métier. Soyez assuré qu'elles ne pourront étouffer votre désir d'aller au bout de votre défi : améliorer vos compétences de gestionnaire. Un marin d'expérience pourra vous dire une vérité à méditer : « Lorsque tu traverses une tempête et qu'un gros grain malmène ton bateau, il est normal que tu aies peur et que tu doutes de ton bateau tout autant que de toi-même. Mais, au lendemain du coup de vent, tu apprécies encore plus ton bateau même s'il n'est pas sorti indemne de l'épreuve. Et tu te sens encore plus fier d'en être le capitaine.»

Être un gestionnaire heureux d'accomplir sa tâche avec compétence et de jouer un rôle actif au sein de l'organisation est à la portée de tous. Il suffit de le vouloir et de se donner les bons outils. Ayez le courage d'abandonner vos vieilles habitudes et attitudes concernant la façon dont un gestionnaire doit s'organiser et se comporter.

Si vous faites partie de ceux et de celles à qui la lecture de ce livre a donné un autre regard sur le métier de gestionnaire et un désir d'aller plus loin, nous serons heureux de vous accompagner pour la suite de votre démarche au fil des autres volumes de notre collection[22]. À vous de jouer maintenant! C'est le moment ou jamais de vous lancer dans l'aventure. N'oubliez pas que ce sont les petites rivières qui font les grands fleuves. Voici un proverbe persan à retenir: «Toutes les choses sont difficiles avant de devenir faciles.» Il résume bien cette idée de devenir un gestionnaire heureux et compétent.

---

[22] Pour plus d'informations, se référer au site Internet **www.blackburntetreault.com,** section : Nos publications.

COMMENT PROFITER AU MAXIMUM DE CET OUVRAGE

Le but de cet ouvrage est de vous accompagner le mieux possible dans la démarche d'apprentissage ou de perfectionnement du métier de gestionnaire.

Pour vous permettre de profiter au mieux des ressources présentées, nous avons conçu un plan de progression personnalisé, qui vous conduira, étape par étape, à la maîtrise des concepts abordés et des sujets traités. Vous pourrez y accéder sur le site Internet **www.blackburntetreault.com** à la section nos publications, à la rubrique : liens avec les références à l'intérieur des volumes. Il vous suffira ensuite de le compléter et de vous fixer des objectifs de progression dans l'exécution de votre travail de gestionnaire. Afin que cette démarche porte pleinement fruit, réévaluez votre plan aux quatre mois pour l'adapter à ce que vous avez été à même de constater et d'appliquer ou non entre chaque étape.

Cet outil sera votre meilleur compagnon pour vous aider à devenir ce gestionnaire heureux et compétent que chacun rêve de devenir. Et puis, ne vous découragez pas en chemin. C'est en se trompant qu'on apprend. Les seuls qui ne se trompent jamais sont ceux qui ne font rien et restent toujours à la même place. Comme ce n'est pas votre cas, puisque vous venez de lire cet ouvrage, faites comme les ruisseaux. Sans eux, il n'y aurait pas de grandes rivières.

Si, comme nous l'espérons, cette lecture vous a donné matière à envisager votre métier de gestionnaire sous un autre angle, n'hésitez pas à nous faire part de vos réflexions. De la même façon, nous aimerions recevoir vos remarques, critiques et suggestions via l'adresse courriel suivante : **editions@blackburntetreault.com.**

NOTE DES AUTEURS

Tous les exemples cités dans ce volume, dans le but d'étayer nos propos, sont basés sur des situations réelles. Ils sont le résultat de nos observations et des constats glanés au fil de nos carrières respectives.

Ces exemples sont mentionnés afin de favoriser la compréhension des concepts présentés, et non dans le but de porter un jugement de valeur sur les comportements ou les gens mis en scène.

Cette école de pensée qui est la nôtre, et que ce livre vous présente, est applicable dans tous les milieux de travail, peu importe le secteur d'activité, la province, le pays ou la culture propre à chaque organisation. Néanmoins, il vous faudra tenir compte des réalités, des particularités et des défis propres à votre organisation, afin d'adapter ces concepts à votre milieu de travail, et prendre en considération le contexte social et légal de votre région ou de votre pays.

L'emploi du masculin pour désigner certaines catégories de personnes ne se veut nullement discriminatoire. Lorsqu'il est utilisé, c'est dans son sens générique et dans le souci d'alléger le texte.

LE PORTRAIT PROFESSIONNEL DES AUTEURS

Claudine Blackburn et Sylvain Tétreault sont les membres fondateurs de la société BLACKBURN TÉTREAULT & ASSOCIÉS, qui offre des services intégrés en ressources humaines et en développement des gestionnaires. La société couvre tous les aspects de cette profession, en offrant de nombreux outils pour répondre aux besoins des clients et lecteurs désireux d'en apprendre davantage sur le sujet : services-conseils, tests psychométriques, sondages du climat organisationnel, rédaction d'un blogue pour échanger sur les sujets de l'heure, création d'une Fondation pour soutenir les étudiants en ressources humaines, organisation de conférences et d'événements, puis édition de livres et de guides de gestion. Avec la collection **GÉREZ MIEUX, STRESSEZ MOINS, – Devenez un gestionnaire heureux et compétent,** le duo partage une fois de plus son incontestable expertise en la matière.

Avant de fonder BLACKBURN TÉTREAULT & ASSOCIÉS en 1999, Claudine Blackburn et Sylvain Tétreault ont œuvré en tant que gestionnaires pour de petites, moyennes et grandes organisations dans plusieurs secteurs du domaine privé et public. Ils enseignent aussi les notions essentielles en ressources humaines aux ingénieurs de demain à l'École de technologie supérieure de Montréal, et ce, depuis plusieurs années.

La combinaison de leurs connaissances respectives aura permis d'asseoir leur expertise sur des bases à la fois théoriques et pragmatiques. Ensemble, et forts de plus de 25 années d'expérience, ils ont développé des compétences uniques dans le domaine des ressources humaines et du développement des gestionnaires. La collection **GÉREZ MIEUX, STRESSEZ MOINS, – Devenez un gestionnaire heureux et compétent,** publiée aux Éditions BLACKBURN TÉTREAULT, s'ajoute aux nombreux outils didactiques, ouvrages de référence et outils d'intervention qu'ils ont mis au point pour assister les gestionnaires dans l'atteinte de leurs objectifs de carrière et de ceux de leur organisation.

Claudine Blackburn, c.o.

Claudine Blackburn est titulaire d'un baccalauréat et d'une licence en orientation de l'Université Laval, obtenus en 1989. Elle partage son expérience pratique et son savoir-faire en rédigeant de nombreux guides, programmes personnalisés ou manuels spécialisés dans le développement des gestionnaires. Elle se spécialise également dans le travail complexe d'évaluations psychométriques visant l'amélioration de la performance des équipes de gestion. Au cours de sa carrière, elle a effectué des centaines d'interventions dans diverses organisations. Elle compte aussi sur sa feuille de route la réalisation de plusieurs sondages organisationnels pour l'amélioration du climat de travail.

Reconnue pour ses qualités de visionnaire, Claudine est à la fois femme d'affaires, auteure, éditrice, formatrice, coach, spécialiste en psychométrie et en sondage organisationnel, planificatrice d'événements, enseignante universitaire, membre de l'union des écrivains et écrivaines du Québec et membre de l'Ordre professionnel des conseillers et conseillères d'orientation du Québec.

Selon Sylvain, « Claudine, c'est la force tranquille de notre société, la conseillère. Réfléchie et méthodique, elle sait comment expliquer les choses pour les faire avancer. Sa nature perfectionniste la prédispose à trouver les meilleures pistes de solution pour le plus grand des défis des gestionnaires ».

Sylvain Tétreault, CRHA

Sylvain est titulaire d'un baccalauréat en relations industrielles de l'Université Laval, obtenu en 1984. Il parcourt le Québec pour présenter des conférences sur les enjeux de la gestion des ressources humaines et du développement des gestionnaires pour les dirigeants de petites, moyennes et grandes organisations de tous les secteurs d'activité. Il anime aussi des sessions de formation personnalisées, des ateliers pratiques, des séminaires et des groupes de discussion, autant auprès de gestionnaires débutants que plus aguerris. Il a conseillé plus de 500 organisations québécoises et a apporté son support pédagogique pour l'élaboration de plus de 400 sessions de formation.

Axé sur les résultats et reconnu pour ses qualités de leader, Sylvain est à la fois homme d'affaires, auteur, éditeur, formateur, coach, conférencier, organisateur d'événements, enseignant universitaire, professionnel de terrain, membre de l'union des écrivains et écrivaines du Québec et membre de l'Ordre des conseillers et conseillères en ressources humaines agréés du Québec (CRHA).

Selon Claudine, « Sylvain, c'est le porte-parole de notre société, l'agent de changement, celui qui prend position rapidement ; un gars de terrain qui n'a pas peur de dire les vraies affaires. Il dérange, il bouscule les idées reçues. D'un tempérament fonceur, il sait s'organiser pour atteindre les résultats visés. »

BLACKBURN TÉTREAULT & ASSOCIÉS

Les partenaires d'affaires et auteurs Claudine Blackburn et Sylvain Tétreault fournissent conseils et recommandations aux gestionnaires et dirigeants d'organisations depuis plusieurs années, toujours en garantissant de hauts standards de qualité dans leurs interventions. Leur impressionnant parcours professionnel respectif, de même que leurs habiletés multidisciplinaires, font d'eux une référence incontournable dans le domaine des ressources humaines et du développement des gestionnaires. Découvrez en détail les nombreux champs d'expertise de BLACKBURN TÉTREAULT & ASSOCIÉS en consultant le site Internet **www.blackburntetreault.com.**

L'utilisation de 1560 lb de Rolland Enviro100
plutôt que du papier vierge réduit votre empreinte écologique de :

Arbre(s): 17
Déchets solides: 2054lb
Eau: 16 248gal
Émissions atmosphériques: 5339lb

RECYCLÉ
Papier fait à partir
de matériaux recyclés
FSC® C103567

Marquis imprimeur inc.

Québec, Canada
2011

Imprimé sur du papier Silva Enviro 100% postconsommation
traité sans chlore, accrédité Éco-Logo et fait à partir de biogaz.